JEAN-NICHOLAS VACHON

MINUIT 13

L'HOMME-PHALÈNE

ÉDITIONS
MICHEL
QUINTIN

Catalogage avant publication de Bibliothèque et Archives nationales du Québec et Bibliothèque et Archives Canada

Vachon, Jean-Nicholas

Minuit 13

Sommaire : 2. L'homme-phalène.
Pour les jeunes de 14 ans et plus.

ISBN 978-2-89435-669-2 (vol. 2)

I. Vachon, Jean-Nicholas. Homme-phalène. II. Titre.
III. Titre : Minuit treize. IV. Titre : L'homme-phalène.

PS8643.A23M56 2013   jC843'.6   C2013-941175-5
PS9643.A23M56 2013

Infographie : Marie-Ève Boisvert, Éd. Michel Quintin

Le Conseil des Arts du Canada
The Canada Council for the Arts

SODEC
Québec☐☐

Patrimoine   Canadian
canadien   Heritage

La publication de cet ouvrage a été réalisée grâce au soutien financier du Conseil des Arts du Canada et de la SODEC.

De plus, les Éditions Michel Quintin reconnaissent l'aide financière du gouvernement du Canada par l'entremise du Fonds du livre du Canada pour leurs activités d'édition.

Gouvernement du Québec – Programme de crédit d'impôt pour l'édition de livres – Gestion SODEC

ISBN 978-2-89435-669-2
Dépôt légal – Bibliothèque et Archives nationales du Québec, 2013
Dépôt légal – Bibliothèque et Archives Canada, 2013

© Copyright 2013

Éditions Michel Quintin
4770, rue Foster, Waterloo (Québec)
Canada J0E 2N0
Tél. :   450 539-3774
Téléc. : 450 539-4905
editionsmichelquintin.ca

1 3 - L B F - 1

Imprimé au Canada

1

Télégraphe de Québec, 10 h 17

C'est peut-être un peu stupide, mais je deviens nerveux chaque fois que le nom du rédacteur en chef s'affiche sur le téléphone de mon poste de travail. Je redoute son impatience chronique, son ton cassant et les remarques acerbes qu'il sert trop souvent à ses journalistes.

— Vous travaillez sur quoi, Saint-Clair?

Pas de bonjour, pas d'entrée en matière! Le patron va toujours droit au but et évite systématiquement de parler d'autre chose que du boulot ou de l'actualité.

— J'écris un entrefilet sur le bateau de croisière qui a eu du mal à accoster au port de Québec, tôt ce matin.

J'essaie de faire preuve d'entrain, de me montrer énergique, mais je n'éprouve aucun plaisir à écrire sur un tel fait divers.

— Refilez votre papier au stagiaire, lance-t-il, bourru. Je crois que j'ai quelque chose de mieux pour vous.

— De quoi s'agit-il?

— Claudia vient de me transférer l'appel d'un drôle d'oiseau. Il raconte un tas de choses bizarres. Il semble au bord de l'hystérie et n'arrête pas de répéter qu'un grand malheur va survenir. J'ai tout de suite pensé à vous.

Étant donné le caractère incongru de l'événement, je ne suis pas certain qu'il s'agit d'un compliment, mais je suis tout de même flatté que le rédacteur en chef ait pensé à moi. Surtout qu'il ajoute:

— Vos articles sur les événements survenus à Stoneham le mois dernier ont beaucoup fait jaser, et ça, c'est excellent pour le *Télégraphe*. Je ne sais pas s'il y a quelque chose à tirer de l'hurluberlu qui est toujours au bout du fil, mais je compte sur vous pour le cuisiner. Je vous le passe.

Quelques cliquetis et un désagréable grésillement me confirment que je suis maintenant en communication avec l'étrange personnage.

— Félix Saint-Clair! Que puis-je faire pour vous? dis-je le plus posément possible.

— Vous êtes journaliste?

La voix est résolument masculine, quoique haut perchée. Mon interlocuteur a le souffle court et, bien qu'il ait jusqu'à présent très peu parlé, je constate que la ligne est mauvaise.

— Oui, je suis journaliste. Je peux savoir votre nom?

— Olivier…

— Qu'est-ce qui vous arrive, Olivier?

— Quelque chose d'affreux va se produire!

— Pourquoi dites-vous ça?

La respiration chuintante de mon interlocuteur trahit sa grande nervosité. J'incline la tête pour coincer le combiné entre ma tête et mon épaule, afin d'attraper un crayon et une feuille de papier. Je griffonne rapidement son prénom et, comme l'homme ne dit plus rien, je dois répéter ma question, ce que je fais avec une certaine fermeté.

— Pourquoi dites-vous qu'un malheur doit arriver?

Mon interlocuteur essaie de parler, mais les mots se coincent dans sa gorge. Il exhale bruyamment son souffle et se met à toussoter.

— Il me l'a dit, finit-il par articuler.

— Qui ça?

— Je ne connais pas son nom, mais il ne cesse de téléphoner chez moi.

— J'ai besoin de comprendre ce qui vous arrive, Olivier, dis-je en déposant mon crayon. Je dois aussi savoir ce que vous attendez de moi.

Sur la ligne, la friture devient presque insupportable et un bruit strident me force à éloigner le téléphone de mon oreille. À ce moment, mon ami Julien, son crâne glabre, son sourire ravageur et ses épaules de footballeur apparaissent devant moi. Il fronce les sourcils en remarquant la grimace que je fais en fixant l'appareil.

— C'est compliqué, affirme Olivier quand les grésillements s'espacent.

— Si vous commenciez par le début?

— Si je vous raconte tout, vous ne me croirez pas.

La ligne coupe, puis revient aussitôt, accompagnée d'un bruit qui me rappelle celui d'une lime qui s'attaque à un bout de métal.

— Je vous entends très mal, dis-je, excédé par les incessants bruits de fond qui perturbent la communication. Où êtes-vous, Olivier?

— Je suis chez moi.

— Et, chez vous, où est-ce?

— À Wendake…

D'un geste impatient, j'ordonne à Julien de décamper, mais il ne bouge pas. Il continue à écouter mes répliques. Après lui avoir adressé une grimace tout à fait immature, je pivote brusquement et ma chaise proteste en grinçant. Il ne manquait que ça! Je me dis alors que j'en ai vraiment assez des bruits perturbateurs.

— Si vous m'en dites plus, je souhaiterai peut-être vous rencontrer.

La respiration d'Olivier devient franchement saccadée. Si je ne le devinais pas aussi nerveux, je croirais qu'il me parle en faisant son jogging.

— Je vous ai déjà tout dit! s'emporte l'homme d'une voix criarde. Il appelle chez moi sans arrêt! J'en ai assez! J'en ai assez!

— Si quelqu'un vous harcèle, vous devriez appeler la police, pas un journaliste, dis-je, pragmatique.

— Vous ne comprenez rien, souffle l'homme. Les appels ont commencé après que nous avons vu cette chose…

On jurerait que mon interlocuteur se plaît à tenir un discours incohérent. Il saute du coq à l'âne et se montre très avare de détails. Il tient surtout pour acquis que je connais le sujet dont il souhaite m'entretenir et juge inutile de raconter son histoire à partir du début. Je commence à craindre de décevoir mon patron et de bientôt devoir reprendre mon papier sur le fastidieux amarrage.

— Qu'avez-vous vu?

Intrigué, Julien pénètre dans mon espace de travail, contourne mon bureau et se place en face de moi. Il m'observe d'un œil scrutateur qui m'irrite au plus haut point. Je lui décoche un regard assassin, pointe la sortie d'un index rageur et enfonce la tête dans mes épaules. Julien ne bouge pas et continue de me regarder comme un prédateur qui guette le moment opportun pour se jeter sur sa proie. N'osant détacher mon attention de la conversation qui m'occupe, je décide d'ignorer l'étrange comportement de mon ami.

— Olivier, dites-moi ce que vous avez vu, dis-je tout bas.

À l'autre bout du fil, l'homme hoquette. Son émotion me paraît si intense que je m'attends à ce qu'il raccroche à n'importe quel moment. À mon grand étonnement, il reprend la parole.

— Je ne sais pas ce que c'était. Un oiseau, peut-être une bête…

— Vous avez vu quelque chose, ou pas ? dis-je avec impatience.

— C'est difficile à dire, il faisait nuit. Mais il y a cette image qui reste gravée dans ma mémoire…

— Et qu'est-ce que c'est ?

— Ses terribles yeux rouges.

2

— Qu'est-ce que tu as à l'œil ? me demande Julien dès que je raccroche le combiné.

— Je n'ai rien, dis-je sèchement en griffonnant sur ma feuille de papier.

— Il y a longtemps que tu as contemplé ton reflet, Narcisse ?

— Très drôle ! Un vrai sac à blagues !

Je n'ai pas de miroir sous la main, je suis soudain pressé, mon humeur s'est étrangement assombrie, mais les propos de Julien piquent ma curiosité. J'attrape mon iPhone, le place devant mon visage et actionne la caméra vidéo. L'image qu'il me renvoie me fait sursauter. Une veine a sans doute éclaté dans le coin extérieur de mon œil gauche et le blanc est maintenant presque entièrement écarlate. Comme si cela pouvait y changer quelque chose, je cligne plusieurs fois les yeux avant d'écarter ma paupière du bout du doigt. Sans grande surprise, je constate que l'hémorragie s'est répandue jusqu'à la partie cachée du globe oculaire.

— C'est pour ça que tu me regardais de cette manière?

— Avoue que c'est plutôt moche, dit Julien en faisant la moue. Tu devrais voir un médecin au plus vite.

— Ce n'est sans doute rien de grave. Probablement une simple conjonctivite.

Il se penche vers moi pour mieux constater l'ampleur des dégâts. Il attrape mon menton entre ses doigts et me force à le regarder dans les yeux. Je résiste un peu, mais sa poigne de fer ne me laisse aucun autre choix que celui d'obtempérer.

— Je ne suis pas docteur, Félix, mais je jurerais qu'il ne s'agit pas d'une simple inflammation. Ça fait mal?

Jusqu'à ce qu'il me pose la question, je ne m'étais pas rendu compte que mon œil me démangeait.

— Maintenant que tu en parles, je dois admettre que ça chauffe un peu.

— Je ne peux pas croire que tu ne t'en sois pas rendu compte plus tôt! Tu as l'air d'un zombie!

— Ce matin, au réveil, je n'avais rien.

— Allons donc! s'exclame Julien avec un air incrédule.

— Si je te le dis! Après la douche, je me suis rasé devant la glace. Tu ne crois pas que je me serais rendu compte de quelque chose si j'avais eu l'œil dans cet état-là à ce moment?

Julien semble toujours perplexe. Je rempoche lentement mon téléphone pour dissimuler le trouble que provoque en moi la vue de cette rougeur insolite. Je me saisis ensuite de mon calepin de notes avant de me lever pour attraper mon manteau, accroché à une patère.

— Tu t'en vas chez le médecin? demande Julien en s'écartant pour me laisser passer.

— J'irai plus tard. Je dois d'abord rencontrer quelqu'un.

— La personne avec qui tu parlais quand je suis arrivé à ton bureau?

— Oui. Un homme qui habite le Village-des-Hurons, près de Loretteville.

— Qu'est-ce qui se passe?

— Je n'en sais trop rien encore.

Je m'élance vers la sortie, mais la voix de Julien me rattrape avant que je quitte la rédaction.

— Tu me raconteras! s'écrie-t-il gaiement. Et pense à prendre des lunettes fumées, sinon tu risques de faire peur à quelqu'un!

***

La réserve indienne de Wendake est enclavée dans la ville de Québec et se trouve à moins de vingt minutes de route du centre-ville. À cette heure de la matinée, il n'y a pas de circulation et à cette rare joie s'ajoute ma chance inouïe de ne pas croiser de feux rouges. À bord de ma voiture hybride, je me rends sans encombre au lieu de rendez-vous convenu avec Olivier, le restaurant *La Sagamité*. Je gare mon véhicule sur l'aire de stationnement de l'établissement et, avant de descendre, étire le cou pour voir mon visage dans le rétroviseur. Mon œil droit est écarlate et c'est tellement vilain que j'en éprouve une bouffée de chaleur. Je n'ai pas vraiment le choix de suivre le conseil de Julien et de chausser mes lunettes de soleil avant de descendre du véhicule. Une bourrasque cinglante s'insinue dans l'habitacle et m'enrubanne dès que j'ouvre la portière.

Le temps est gris, il fait un froid de canard, mais, bien que l'automne soit très avancé, il n'y a pas encore de neige au sol. Le triste mois de novembre tire à sa fin, les arbres sont complètement dépouillés de leur feuillage et le monde entier semble figé dans l'attente de l'hiver. Çà et là, des sapins de Noël commencent à apparaître, qui illuminent la grisaille des jours mornes.

Le restaurant dans lequel je m'apprête à

pénétrer s'abrite sous un bâtiment étroit, mais long, dont les trois étages se dressent en face du clocher de la petite église du village. Je traverse le stationnement d'un pas rapide, gravis l'escalier qui mène à l'entrée et m'engouffre sans plus attendre dans l'édifice. Une douce chaleur m'accueille, ainsi que les effluves mélangés du café frais, des pommes de terre rissolées, des rôties et du jambon grillé. Les gargouillis de mon ventre me rappellent que je n'ai pas pris le temps de déjeuner avant de me rendre au journal.

Un jeune homme est assis à une table, tout près d'un âtre de pierres où crépite joyeusement une jolie attisée. Il garde la tête baissée. Ses mains sont crispées autour d'une tasse et, de là où je me trouve, je peux même voir qu'il tape nerveusement du pied. Il a les cheveux blonds, un visage mince et des lèvres très fines. Je m'étonne en constatant que, comme moi, il porte des lunettes fumées. D'emblée persuadé qu'il s'agit d'Olivier, je me dirige vers lui.

— Je suis Félix Saint-Clair, dis-je en m'arrêtant devant sa table.

L'homme lève la tête et me détaille pendant de longues secondes avant de m'inviter à m'asseoir d'un geste de la main. Je ne peux voir ses yeux, mais je sens qu'il m'observe très attentivement. Une serveuse vêtue d'un chemisier à franges dépose devant moi un menu et une tasse de café fumant. Je la remercie d'un large sourire.

— Vous semblez très inquiet, Olivier, dis-je en portant la boisson à mes lèvres.

— Je suis mort de peur, murmure-t-il.

— Si vous me racontiez tout depuis le début, enfin !

— Vous allez dire que je suis fou…

— Ce que je pense n'a pas vraiment d'importance. Je suis ici pour entendre votre histoire, rien de plus.

Le jeune homme se recule un peu et se tourne vers l'âtre crépitant.

— Je vous croyais plus vieux, dit-il en osant enfin un regard vers moi.

— Mon âge vous pose un problème ?

— Pas vraiment, mais j'espérais rencontrer quelqu'un d'un peu plus expérimenté.

— Si je ne peux pas vous aider, je serai honnête avec vous.

L'homme pose ses coudes sur la table à l'instant où la serveuse passe pour prendre la commande.

— Vous mangez quelque chose ?

Olivier secoue énergiquement la tête, comme si l'idée de manger lui paraissait tout à fait farfelue.

— Je n'ai pas faim, déglutit-il.

— Ça vous ennuie, si je déjeune?

Il secoue à nouveau la tête et je choisis sans hésiter l'assiette la plus copieuse. Avant que l'entretien commence, je demande et note l'adresse et le numéro de téléphone du jeune homme.

— Pourquoi ne retirez-vous pas vos lunettes? me demande-t-il en se penchant vers moi.

Il parle tout bas comme s'il craignait que des micros cachés dans la salle à manger captent notre conversation.

— Conjonctivite, dis-je sur un ton monocorde. J'ai plutôt mauvaise mine, ce matin.

Je m'apprête à lui retourner la question quand il enlève ses propres lunettes fumées et les jette sur la table sans la moindre précaution.

— C'est aussi terrible que ça? demande-t-il entre deux inspirations hachées par l'émotion.

Je sursaute en voyant son regard découvert. Ses yeux sont tous les deux injectés de sang. Le pourtour des paupières est irrité, les coins intérieurs semblent envahis par l'infection et ils larmoient sans cesse. Je devine que l'homme n'a pas dormi depuis longtemps, car des cernes noirs s'étendent jusqu'au milieu de ses joues envahies par une barbe naissante. Dans un élan de solidarité, je soulève un instant mes lunettes de soleil pour permettre à Olivier de voir mon œil rougi. Il laisse échapper un rire nerveux et attrape sa tête entre ses mains.

— Ça commence comme ça, affirme-t-il en pointant mon œil droit.

Il toussote et ses lèvres s'étirent dans un sourire entendu.

— C'est pour ça que vous êtes ici, n'est-ce pas? demande-t-il d'une voix rauque. Vous l'avez vu, vous aussi!

— Je ne sais pas de quoi vous parlez, dis-je en laissant retomber la monture sur l'arête de mon nez.

— Ouais… éructe-t-il avec scepticisme. On essaie tous de se faire croire que ça n'a rien à voir avec cette chose, mais, quand les médecins s'avouent incapables de nous guérir, on doit se rendre à l'évidence.

Olivier met ma patience à rude épreuve en jouant les finauds. Je commence à regretter d'avoir commandé un repas, car j'ai subitement envie de prendre la poudre d'escampette en plantant là cet individu qui se plaît à me mystifier. Comme j'ai l'estomac dans les talons, je choisis d'entrer dans son jeu.

— C'est bon, dis-je gravement. Je vous raconterai ce qui m'est arrivé dès que j'en connaîtrai davantage au sujet de vos propres… mésaventures.

— Jurez-le-moi!

Je lève la main droite et me force à sourire. Cela semble suffire à Olivier qui s'accorde une nouvelle gorgée de café avant d'amorcer son récit.

— Ma copine et moi marchions dans le sentier qui borde la rivière Saint-Charles…

— Quand ça?

— Il y a exactement dix jours.

— Vous permettez que je prenne des notes?

— Faites ce que vous voulez, mais arrêtez de m'interrompre, crache Olivier avec humeur.

Je préfère ne rien rétorquer de peur d'envenimer les choses, mais son coup de gueule me met mal à l'aise, en plus de m'irriter. Je fouille dans ma poche pour y pêcher mon calepin de notes et un stylo.

— C'était le soir, il devait être environ vingt heures. On se trouvait tout près d'ici, sur la plateforme qui surplombe la chute Kabir Kouba. Il avait beaucoup plu les derniers temps et la rivière était agitée par un fort courant. Le bruit de la chute était si assourdissant que je devais parler dans le creux de l'oreille de ma copine pour qu'elle entende ce que je lui disais. Je me suis appuyé à la rambarde de métal, dos à la cascade, et Sophie s'est mise à m'embrasser. C'est alors que j'ai remarqué quelque chose qui bougeait dans le boisé. Je n'ai pas voulu interrompre le moment, plutôt agréable, mais je ne pouvais pas m'empêcher de garder mon regard rivé sur les arbres.

Olivier remarque que les autres clients du restaurant le dévisagent. Il attrape ses lunettes de soleil et, à mon grand soulagement, cache ses yeux malades.

— Qu'avez-vous vu?

— La même chose que vous, monsieur Saint-Clair, rétorque-t-il, goguenard.

— Appelez-moi Félix, dis-je en m'écartant pour laisser la serveuse déposer mon plat devant moi.

Des œufs, une pointe de pâté à la viande de gibier, des rôties bien beurrées, quelques saucisses, une véritable montagne de patates et quelques fruits frais composent le repas gargantuesque qui m'est servi. Avant de m'y attaquer, je préfère clarifier ma position.

— Nous n'avons peut-être pas été témoins du même phénomène. Je vous serais reconnaissant de me raconter tout comme si je n'avais jamais rien vu.

Olivier acquiesce à ma demande d'un léger mouvement de tête. Il tousse et reprend son récit d'une toute petite voix.

— Ses yeux rouges étaient si lumineux que j'ai d'abord cru qu'il s'agissait des feux arrière d'une voiture! s'exclame Olivier en joignant les mains.

On accède aux plates-formes d'observation de la chute par le stationnement du restaurant, qui surplombe un dénivelé important. Il a effectivement pu croire qu'une voiture y reculait.

Le jeune homme semblait s'être apaisé un instant plus tôt, mais il est manifeste que la nervosité le gagne à nouveau.

— Quand j'ai compris que ce n'était pas le cas, j'ai repoussé Sophie pour faire un pas vers l'avant et me placer devant elle. Des craquements se sont fait entendre. Il s'agissait de craquements violents, comme si plusieurs branches d'arbre se cassaient en même temps. Effrayée, ma copine s'est plaquée contre mon dos et s'est mise à pousser des gémissements. C'est là que la créature a déployé ses ailes.

Je suis suspendu aux lèvres d'Olivier, mais, subitement, je n'entends plus ce qu'il me dit. La mâchoire décrochée, la fourchette immobilisée à mi-chemin entre mon assiette et ma bouche, je ne puis endiguer le flot des images qui me submergent. Je ne sais trop s'il s'agit d'un véritable souvenir ou si je suis la victime de mon imagination, mais la réalité se dérobe à mon regard pour être remplacée par le décor de ma chambre à coucher. Je suis allongé sur le côté gauche, le visage bien enfoui dans l'oreiller. Je ne dors pas, mais je ne suis pas tout à fait éveillé non plus. Mon œil droit s'entrouvre et j'aperçois le rectangle noir de la fenêtre qui se découpe au milieu du mur. Il fait nuit, le ciel est d'un gris foncé et tout est tranquille. Soudain, au moment où je m'abandonne à nouveau aux bras de Morphée, une lumière blanche d'une incroyable intensité inonde la pièce. Elle s'évanouit presque aussitôt et, l'instant d'après, par la fenêtre, j'aperçois une créature ailée qui traverse le ciel. Ses yeux rouges, globuleux et étincelants, sont la dernière chose que je vois avant d'être happé par les brumes du sommeil.

3

Wendake, 11 h 53

— Vous m'écoutez, Félix?

Une pelletée d'œufs baveux glisse de ma fourchette et tombe sur ma cuisse. Je suis si perturbé par les images qui se sont imposées à moi que je dépose très lentement l'ustensile avant d'essuyer ma maladresse à l'aide d'une serviette de papier.

— Vous faites une drôle de tête, continue Olivier. Quelque chose ne va pas?

Je m'ébroue stupidement pour chasser la désagréable sensation qui m'habite. Les images fugaces que je viens d'entrevoir me semblent déjà si lointaines que je pourrais jurer qu'elles ne m'appartiennent pas. J'ai l'impression d'avoir été projeté dans les souvenirs de quelqu'un d'autre.

— Je suis désolé, dis-je en reprenant pied

dans la réalité. J'ai passé la nuit sur la corde à linge. Qu'est-ce que vous disiez?

Mon absence momentanée a ostensiblement déplu à Olivier qui affiche maintenant un air outré. Je n'ai presque rien mangé, mais, bizarrement, je n'ai plus faim. Je repousse mon assiette et me saisis de mon stylo.

— Reprenons, si vous le voulez bien, dis-je sur un ton beaucoup trop grave. Avez-vous vu ce qui se cachait dans ces arbres?

— Je viens de vous le dire, ronchonne-t-il en se levant précipitamment, mais vous étiez perdu dans vos pensées. Moi qui croyais que vous étiez un journaliste sérieux…

Il se dirige d'un pas décidé vers la sortie et quitte le restaurant sans ajouter un mot. Je bondis à mon tour, jette un billet de vingt dollars sur la table et me précipite à sa suite. Dès que je pousse la porte, je vois Olivier, de l'autre côté du boulevard, qui s'enfuit au pas de course en empruntant une rue étroite du village. Je m'élance dans l'espoir de le rattraper, mais le klaxon tonitruant d'un autobus retentit dès que je pose le pied sur la chaussée. Le cœur battant, je recule d'un pas et le véhicule passe en trombe à quelques centimètres de mon nez. J'ai failli être aplati comme une crêpe sur l'asphalte et, à présent, je tremble de tous mes membres.

— Quel début de journée merdique!

La mort dans l'âme, je retourne d'un pas pesant vers l'aire de stationnement. C'est à ce moment que je remarque le cimetière voisin et la place sur laquelle il débouche. Je tends l'oreille et, malgré le vrombissement des voitures, je perçois le bruit de la chute Kabir Kouba qui se trouve un peu plus loin. On peut accéder au poste d'observation de la chute par un escalier qui se trouve à l'extrémité du stationnement. Même si mon entretien avec Olivier s'est terminé en queue de poisson, je décide d'aller jeter un coup d'œil à l'endroit qu'il m'a décrit.

La rivière Saint-Charles est belle et sinueuse. À cet endroit, ses eaux puissantes ont creusé la pierre pour former un lit profond bordé par d'impressionnantes falaises. Comme la nature gagne sur tous les terrains, ce petit canyon est envahi par des arbres aux troncs courbés, littéralement agrippés aux parois rocheuses. Les eaux fraîches et écumeuses de la rivière bondissent dans tous les sens et la mélodie qu'elles jouent est un pur ravissement.

Je mets peu de temps à rejoindre la plate-forme d'observation de la chute où Olivier et sa copine se trouvaient quelques jours plus tôt. Rendu pensif par cet avant-midi riche en rebondissements, je m'appuie à la rambarde pour mieux contempler le torrent impétueux. Je ferme les yeux un instant pour mieux revoir les images qui me sont venues précédemment. Mille et une questions tourbillonnent maintenant dans mon esprit. Qu'était donc cette lumière intense et surtout ce gros oiseau aux yeux rouges que j'ai entraperçu par ma fenêtre? Tout cela était-il bien réel? Se pourrait-il que ce n'ait été qu'un rêve? Est-il possible que mon imagination se soit emballée à cause du récit du jeune homme?

Je me retourne pour m'adosser au parapet et essayer de découvrir l'endroit où se tenait Olivier quand il a vu le phénomène qui l'a rendu aussi nerveux. De là où je me trouve, je peux voir un bosquet d'arbres dont les cimes dépassent le sommet de la chute. Même si je ne sais toujours pas ce qu'il a vu, je sais que la chose a émergé de ce boisé. Je quitte aussitôt mon poste d'observation pour rejoindre le sentier et m'en approcher.

Je dois sortir de la piste pour parvenir jusqu'aux arbres qui m'intéressent. Le relief des abords de la chute est très accidenté et je progresse lentement pour éviter de trébucher. Comme je pose la main sur le tronc d'un bouleau, je remarque une étrange tache noire qui stigmatise son écorce. En levant les yeux, je constate que plusieurs branches, dont certaines d'un diamètre important, sont cassées et pendent lamentablement. J'attrape mon téléphone intelligent et photographie l'arbre sous toutes ses coutures.

Je poursuis mon examen et m'aperçois que d'autres arbres portent des marques noires semblables à des brûlures. Comme ils forment un cercle approximatif, je me place au centre pour prendre quelques photos. Les taches donnent toutes vers l'intérieur de ce cercle imaginaire, comme si une source de chaleur s'était trouvée en son milieu. Les branches sont toutes abîmées; on dirait qu'un projectile de taille importante a été lancé de l'endroit où je me trouve.

Je suis si absorbé par les marques insolites que je ne me rends pas compte que je ne suis plus seul. Quand je me retourne, j'aperçois un couple de marcheurs qui se sont arrêtés pour me regarder. Il s'agit d'un homme et d'une femme d'une soixantaine d'années, sans doute retraités, qui profitent des derniers beaux jours de l'automne. Ils portent de chics vêtements de randonnée et sont armés de bâtons de marche. Un peu gêné, je les salue d'un mouvement de la main. La femme me répond par un simple sourire, mais l'homme, lui, demeure imperturbable. Après quelques secondes passées à nous dévisager mutuellement, je comprends qu'ils ne poursuivront pas tout bonnement leur chemin.

— Bonjour, finis-je par dire.

— Qu'est-ce que vous regardez? aboie l'homme en plantant la pointe acérée de son bâton dans le sol.

— S'il te plaît, Charles, reste calme, intervient la femme, visiblement embarrassée.

Surpris par l'agressivité de l'homme, je me racle la gorge avant de lui répondre.

— Ces arbres sont en mauvais état. Je me demande bien ce qui leur est arrivé.

— Tu vois, Charles, ce jeune homme ne s'intéresse qu'à la sauvegarde de la nature! ajoute la femme sur un ton faussement joyeux. Rentrons, maintenant!

L'homme ne bronche pas et continue à me jauger du regard. Sa compagne pose une main sur son avant-bras, mais il se dégage brusquement. Mal à l'aise, la femme s'empourpre aussitôt.

— Je n'en suis pas si sûr! grogne-t-il. En fait, je suis persuadé que ce n'est pas le hasard qui explique la présence de ce monsieur à cet endroit.

Je rempoche mon téléphone et décide de regagner le sentier. Les promeneurs me regardent approcher, mais ne s'écartent pas pour me céder le passage. Mes pieds s'enfoncent dans un tas de brindilles et de feuilles mortes.

— Je mangeais à *La Sagamité* ce soir-là, affirme l'homme en s'adoucissant à peine. À la table qui se trouve tout près de la fenêtre arrière.

Il se tourne et pointe le bâtiment qu'on devine à travers les branches dégarnies. Le restaurant surplombe l'abrupte vallée de la rivière et offre effectivement un point de vue saisissant sur les environs.

— Je t'en prie, Charles, cesse d'importuner ce jeune homme, supplie la femme.

Les yeux exorbités par la colère, le dénommé Charles se tourne brusquement vers elle.

— Vas-tu enfin me croire, si quelqu'un d'autre a vu cette énorme créature ?

La femme fait pitié à voir. Rouge comme une tomate, elle garde ses jolis yeux bleus rivés au sol et piétine nerveusement sur place.

— Je vais t'attendre là-haut, dit-elle.

Elle gravit quelques-unes des marches aménagées dans le sentier, s'arrête et se retourne vers moi.

— Excusez mon mari, me dit-elle. Il n'est plus le même depuis quelques jours.

— C'est ça ! gronde l'homme entre ses dents serrées. Dis-lui donc que je suis fou, tant qu'à y être !

Le dos courbé, la femme s'éloigne pour nous laisser en tête-à-tête. Charles demeure silencieux jusqu'à ce que sa compagne disparaisse dans les méandres du sentier. Son regard reste braqué sur moi, mais il se fait moins dur, moins insistant.

— Je suis journaliste, dis-je dans l'espoir de calmer l'homme. Félix Saint-Clair du *Télégraphe de Québec*.

— Vous l'avez vu, vous aussi ?

— Non, je n'ai rien vu du tout, mais je viens tout juste de rencontrer une personne qui affirme elle aussi avoir aperçu quelque chose.

— Quand ça ?

— Il y a une dizaine de jours.

— C'est arrivé le soir du 17 novembre, en effet.

— Qu'est-ce que c'était ?

— Ça ressemblait à une bête préhistorique, affirme Charles. La créature devait bien faire deux mètres de hauteur !

— Deux mètres ?

L'homme fouille dans la poche arrière de son pantalon pour en sortir un bout de papier plié en quatre. Il fiche son bâton de marche dans le sol, déplie la feuille et me la tend.

Charles a gribouillé ce qu'il a vu. Le dessin a été fait au fusain et dénote un certain talent. Il s'agit d'une forme ailée dépourvue de tête, au corps plutôt trapu, dotée de jambes grêles dont l'aspect est pratiquement humain. Les ailes paraissent gigantesques et leur envergure dépasse la hauteur de la créature. On pourrait confondre la partie supérieure de l'illustration avec la silhouette d'un hibou, mais les longues pattes contredisent pourtant cette impression.

— Ce n'était pas un oiseau, dit Charles comme s'il avait lu dans mes pensées. C'était beaucoup trop gros pour en être un. J'ai vu cette chose émerger du sommet des arbres, puis elle a disparu très rapidement en battant l'air de ses grandes ailes.

— D'après votre dessin, cette bête n'a pas de tête…

— Elle avait bien un léger renflement au-dessus des épaules, mais pas de tête à proprement parler. Je n'ai pas pu voir si elle avait un visage, car elle était dos à moi.

Charles parle maintenant beaucoup plus doucement et ses mâchoires ne sont plus crispées. On dirait que le fait de raconter à quelqu'un ce dont il a été témoin lui fait du bien. Je décide de profiter pleinement de sa coopération inattendue.

— Par où cette chose est-elle partie ?

— Elle a plongé vers la chute avant de bifurquer à gauche. Il faisait noir et je l'ai rapidement perdue de vue, mais je suis persuadé qu'elle a suivi la rivière.

Il me reprend son dessin et le rempoche avec un certain empressement.

— Est-ce que vous me croyez? demande-t-il en fronçant les sourcils.

— Que je vous croie ou pas n'a aucune importance, dis-je sur le ton le plus neutre possible. Je m'intéresse seulement à votre histoire.

— Madeleine – c'est ma femme! – pense que je suis fou.

— C'est sans doute parce qu'elle a peur.

Il hoche la tête et me sourit pour la toute première fois.

— Je peux connaître l'identité de la personne qui a elle aussi vu la créature?

— Je préfère d'abord lui demander l'autorisation de divulguer son nom. Si vous me donnez vos coordonnées, je pourrai peut-être vous mettre en contact.

Il affiche un air déçu, mais je vois dans ses yeux qu'il ne s'attendait pas à une autre réponse. Je note les informations qu'il me donne à son sujet en pianotant des deux pouces sur l'écran tactile de mon téléphone intelligent.

— Depuis ce soir-là, je suis venu marcher dans ce sentier tous les jours et toutes les nuits, m'avoue Charles. Je n'ai jamais revu la créature.

— Outre votre épouse, à qui en avez-vous parlé?

— À personne! Tous ceux qui étaient avec moi au restaurant ce soir-là croient que j'ai eu une hallucination. Depuis, je n'ose plus rien dire.

Nous échangeons encore quelques banalités avant de prendre congé l'un de l'autre. Je lui suggère de communiquer avec moi au journal si jamais il aperçoit quelque chose d'autre. Ravi, il me serre la main, rattrape son bâton de marche et s'éloigne dans la direction prise par sa femme.

— Une dernière question! dis-je en le rattrapant au pas de course.

L'homme se retourne et tend l'oreille.

— On m'a dit que la créature avait de grands yeux rouges. N'auriez-vous rien vu de tel?

— Je n'ai pas vu son visage, je vous l'ai déjà dit, répond Charles en secouant la tête.

— Et vos yeux à vous? Pas d'irritation ni d'inflammation?

Ma question semble le surprendre. Il revient vers moi et approche son visage du mien. Il ouvre grand ses yeux, dont le blanc est parfaitement clair.

— Si c'est ce que vous insinuez, je vous assure que je n'ai pas de problème de vue, monsieur Saint-Clair, ni d'hallucinations. Je ne suis peut-être plus de la prime jeunesse, mais je ne suis ni malade ni dément !

Il repart d'un pas vif en ronchonnant.

4

De retour au journal, je me dirige immédiatement vers le bureau du patron. Bien qu'il se dise constamment débordé, le rédacteur en chef accepte de mettre de côté son travail pour entendre ce que j'ai à raconter.

— Qu'avez-vous pu tirer des élucubrations de notre drôle de moineau ? me demande-t-il sèchement.

— C'est une histoire très bizarre, dis-je.

Et je l'abreuve de tous les éléments dont je dispose. Il se montre très enthousiaste. Avant de me sommer de le laisser tranquille, il me commande un article sur les événements survenus à Wendake pour le numéro du lendemain.

— Ne me décevez pas, Saint-Clair ! recommande-t-il, alors que je me dirige vers les toilettes.

Debout en face du miroir de la salle de bain, j'hésite à retirer mes lunettes de soleil. L'état de mon œil droit m'inquiète beaucoup, mais j'ai autre chose à faire que de poireauter dans la salle d'attente d'un cabinet de médecin. En vérité, je crains surtout le diagnostic. Après une profonde inspiration, je rassemble mon courage et soulève doucement la monture.

J'ai alors la surprise de voir une goutte de sang perler au coin de mon œil malade. La gouttelette glisse lentement sur ma joue en y laissant une trace écarlate qui me donne l'allure d'un supplicié. Je bats frénétiquement des paupières et attrape un bout de papier pour éponger le sang. Un film rougeâtre embrouille maintenant ma vue et cela me cause une vive émotion.

J'ouvre le robinet, approche ma tête du filet et entreprends de doucher mon œil sanglant. La fraîcheur de l'eau me fait du bien, mais la couleur des éclaboussures qui maculent l'évier de céramique blanche me rend encore plus nerveux.

Après m'être sommairement asséché la figure, j'examine à nouveau mon globe oculaire. J'ai du mal à l'admettre, mais l'inflammation a empiré. Alarmé, je décide de passer un coup de fil à ma clinique. Une réceptionniste bourrue m'apprend que la salle d'attente est bondée et qu'il me faudra patienter plusieurs heures avant de voir un médecin. Je raccroche sans la saluer, chausse à nouveau mes lunettes et quitte les toilettes pour retourner à mon bureau.

J'attrape en vitesse mon ordinateur portable que je range dans un sac de toile et, sans plus attendre, me dirige vers la sortie de l'immeuble. Quand Julien m'aperçoit, il abandonne son travail et galope vers moi à bride abattue.

— Comment ça va ? demande-t-il en pointant mon œil.

Je connais mon ami Julien et je sais qu'il insistera pour me conduire à l'hôpital si je lui parle des saignements. Pour ne pas qu'il m'embête, je préfère lui mentir et filer à l'anglaise.

— Pas trop mal ! Je rentre chez moi pour écrire un article.

— Tu tiens quelque chose ?

— Tu es trop curieux ! dis-je à la rigolade en fonçant vers la sortie. Je te raconte tout ça plus tard, d'accord ? Je préfère mettre cette histoire sur papier pendant qu'elle est fraîche à ma mémoire.

Si j'en juge à sa mine perplexe, Julien devine que je lui cache quelque chose, mais il n'ose pas me cuisiner davantage.

***

Ayant déposé mon bagage sur la banquette arrière de ma voiture, je monte à bord et m'engage sans tarder sur la route. Plutôt que de regagner mon appartement, je décide de rouler vers le nord de la ville et de rendre visite à ma sorcière bien-aimée.

Violette Leduc habite une coquette maison en bordure de la rivière Jacques-Cartier. Elle y vit en compagnie de deux gigantesques molosses au pelage immaculé affectueusement nommés Pleurote et Coquelicot. Elle arbore une crinière de feu, une silhouette élancée et des lunettes aux verres très épais qui rendent ses yeux globuleux. Lorsque j'ai fait sa connaissance, je ne croyais pas du tout à ses pouvoirs, mais je suis forcé d'admettre que Violette possède un don époustouflant. Ses capacités extrasensorielles m'ont récemment été très utiles[1]. Si, aujourd'hui, je vais à sa rencontre, c'est dans l'espoir de bénéficier de ses connaissances en herboristerie.

Quand je gare ma voiture dans l'allée de sa maison, Violette se tient sur le pas de la porte principale et discute avec une autre femme. Elle est vêtue d'un fin tricot de laine rose et d'un jeans, alors que son interlocutrice est emmitouflée dans un épais manteau de duvet.

---

1. Voir *Minuit 13 – L'égrégore*, Éditions Michel Quintin.

J'attrape mon sac, descends de mon véhicule et m'approche d'elles. Violette frissonne des pieds à la tête. Mon arrivée fait fuir sa visiteuse, qui disparaît après m'avoir gratifié d'un bonjour aussi sonore qu'enjoué.

— Félix! s'exclame Violette en claquant des dents. Quelle belle surprise! Quel bon vent vous amène?

— Sans doute un vent froid! Vous êtes glacée! Pourquoi restez-vous dehors par un temps pareil?

— Je discutais avec ma dernière cliente, mais vous avez raison. Entrons. Ce vent doit descendre tout droit de l'Arctique!

Je retrouve avec un plaisir impossible à dissimuler l'intérieur douillet et chaleureux de cette maison. Les tissus à carreaux, le tapis moelleux, le manteau de la cheminée de pierres et cent autres petits détails rendent cet endroit spécial. Dès qu'ils m'aperçoivent, ses gros chiens se lèvent et s'approchent en agitant la queue. Je gratte leur museau avant de passer au salon, dans l'âtre duquel crépite sempiternellement un feu accueillant. Après l'échange des politesses habituelles, Violette, perspicace, s'inquiète de mon arrivée inopinée.

— Quelque chose ne va pas, Félix? demande-t-elle en frottant ses mains l'une contre l'autre.

Pour toute réponse, je retire mes lunettes de soleil. L'expression horrifiée de la sorcière me porte à croire que mon état ne s'est pas amélioré.

— Venez avec moi ! s'écrie-t-elle en m'agrippant par le bras.

Elle m'entraîne à sa suite vers son bureau de consultation situé à l'arrière de la maison. Plongée dans l'obscurité par de lourds rideaux, la pièce est baignée dans la chaleur qui émane d'un petit poêle à bois. Des effluves d'encens flottent dans l'air, des cartes de tarot sont étendues sur la table ronde qui trône au centre de la pièce et quelques chandelles luttent vaillamment contre la noirceur.

— Assoyez-vous ! m'ordonne-t-elle.

Pendant que je m'exécute, elle tire les rideaux pour laisser entrer la lumière du jour. De là où je me trouve, je peux voir la rivière Jacques-Cartier couler tranquillement dans sa vallée dépouillée par l'automne. La sorcière se dirige vers l'armoire de bois qui occupe un coin de la pièce et ouvre grand ses battants. Une multitude de pots de terre cuite, de fioles de verre et de boîtes métalliques y sont entassés. Elle attrape des bandelettes de coton blanc, deux petites bouteilles, un mortier, quelques sachets de tissu et une jarre de porcelaine ; elle dépose le tout sur la table.

— Un soupçon d'huile de fleur de millepertuis, quelques feuilles de camomille broyées et un peu d'eau de rose de Damas ajoutés à cette crème de thuya et de bleuet sont tout indiqués pour soigner votre œil! Si vous me racontiez ce qui vous est arrivé, pendant que je prépare cet onguent?

Il est inutile de tenter de cacher quoi que ce soit à Violette, car elle devine ce que vous refusez de lui dire. Je relate donc ma rencontre avec Olivier, puis ma conversation avec Charles, sans oublier de lui parler des singulières images qui se sont imposées à mon esprit. La soudaineté de l'inflammation de mon œil droit est manifestement l'élément qui l'étonne le plus dans mon récit.

— J'applique cette crème sur votre paupière et autour de votre œil, dit-elle en me présentant un pot rempli d'un onguent fort odorant. J'y placerai ensuite une compresse d'eau de rose. Une bandelette qui entourera votre tête tiendra tout ça en place.

Quelques minutes plus tard, mon crâne ressemble presque à celui d'une momie. Éborgné par le pansement, je ne vois plus que de l'œil gauche. Violette semble satisfaite de son travail, mais, moi, je n'aime pas beaucoup mon nouveau couvre-chef.

— Combien de temps dois-je garder ceci?

dis-je en touchant le pansement du bout du doigt.

— Jusqu'à demain matin. Et ne songez pas à conduire votre voiture dans cet état! Vous passerez la nuit ici. De toute façon, je veux absolument voir votre œil quand viendra le temps de retirer le pansement.

— Mais Troodie est toute seule et…

— Inutile de protester, Félix! Ce n'est certainement pas la première fois que votre chatte passe la nuit sans vous. Quoi qu'il en soit, je ne vous laisserai pas sortir d'ici dans cet état!

Il ne me reste qu'à m'installer, vaincu, devant l'âtre du salon pour rédiger mon article.

***

— Ces images, Félix, croyez-vous qu'elles soient réelles?

Violette a attendu que je termine mon article avant de commencer à poser ses questions. Comme je ne lui réponds pas tout de suite, elle précise le sens de son interrogation.

— D'après vous, était-ce la résurgence d'un souvenir enfoui profondément, ou la subite évocation d'un rêve oublié? Seriez-vous entré en transe pendant que ce garçon vous racontait son histoire?

— Je ne pense pas, dis-je en déposant mon

ordinateur portable sur la table basse du salon. Ça n'avait rien d'une transe, mais l'image était très forte, très précise. J'étais si absorbé par ce que je me remémorais que j'ai perdu contact avec la réalité.

— Et vous dites que ce garçon avait les deux yeux aussi rouges que le vôtre?

— Sans doute pire! Le plus intéressant, là-dedans, c'est qu'il affirmait que l'inflammation de ses yeux était due au contact visuel qu'il avait eu avec la créature.

— Si on en croit ce raisonnement, vous n'avez pas rêvé, déduit Violette. Vous avez réellement vu cet oiseau et c'est pour ça que votre œil est en aussi mauvais état aujourd'hui.

Olivier et moi aurions donc vu la même créature. L'idée m'angoisse. Cette supposition implique qu'il existe un lien entre nous et la bête, mais je ne vois toujours pas lequel.

— Vous présumez qu'Olivier a aperçu la même créature ailée que moi. Pourtant, nous n'en sommes pas encore sûrs.

— N'oubliez pas le témoignage de Charles. C'est ce qu'il nous porte à croire.

Je prends ma tête entre mes mains et pousse un grand soupir.

— Qu'est-ce qui m'arrive, encore? dis-je tout bas.

Violette se cale dans son canapé pour mieux réfléchir. Ses gros yeux ne me quittent pas une seconde.

— Je connais quelqu'un qui pourrait peut-être vous aider, dit-elle en haussant un sourcil.

— Qui est-ce ?

— Il se nomme Jonathan London et il est cryptozoologue. J'ai assisté à plusieurs de ses conférences et nous sommes devenus amis. C'est un homme fascinant, vous verrez !

Malgré le bandage qui envahit la moitié de mon visage, je n'arrive pas à cacher mon scepticisme.

— Cryptozoologue, hein ?

— Ne faites pas cette tête-là, Félix ! La cryptozoologie est une science qui étudie les bêtes dont l'existence n'est toujours pas prouvée.

— Ce doit être difficile, d'étudier quelque chose qui n'existe pas !

Violette fronce les sourcils, mais un sourire ne tarde pas à chasser son air contrarié.

— Ouvrez votre esprit, Félix ! Vous et moi ne connaissons rien aux créatures mystérieuses, mais ce n'est pas une raison pour nier leur existence.

5

Sainte-Catherine-de-la-Jacques-Cartier, 2 h 16

La chambre d'invité de la résidence de Violette est aussi douillette que le reste de la maison. Bien au chaud sous une épaisse couette de duvet, je dors à poings fermés quand mon téléphone sonne. Parce que mon œil est aveugle et que la pièce ne m'est pas familière, je tâtonne un moment avant de mettre la main sur l'appareil.

— Allo?

— C'est Rebecca, du journal.

— Je m'en doutais. Il n'y a que vous pour m'appeler à une heure pareille.

L'acariâtre réceptionniste de nuit exhale un profond soupir. Comme toujours, elle semble au bord de l'exaspération.

— Vous devez vous rendre à l'usine de traitement de l'eau de Loretteville, en bordure de la rivière Saint-Charles, grommelle-t-elle.

— Que s'y passe-t-il?

— Des résidents des environs affirment avoir vu une multitude de lumières dans le ciel.

L'explication sommaire de Rebecca me laisse pantois. Des lumières? Est-ce qu'on ameute les médias pour si peu?

— Fascinant, dis-je en me lovant entre les couvertures. Malheureusement, je ne peux pas me rendre sur place. Mon œil droit est…

— Il n'y a que vous sur ma liste, coupe-t-elle en haussant le ton. Si vous n'y allez pas, le *Télégraphe* loupera l'affaire.

— Mais je ne peux pas conduire ma voiture!

— Je rapporterai donc votre refus au rédacteur en chef. Il communiquera sans doute avec vous demain matin. Bonne nuit.

Elle raccroche sans me laisser le temps d'ajouter quoi que ce soit. Je me redresse maladroitement et repousse les couvertures avec une certaine brusquerie. Au même moment, j'entends des bruits de pas, mais je n'arrive pas à deviner d'où ils proviennent. Je me lève et, avant même d'allumer, je sors de la chambre. Je m'attends à tomber face à face avec Violette, mais l'endroit est désert et la porte de sa chambre est toujours fermée. Dans la pénombre, je ne distingue pas grand-chose, sinon la lueur d'une veilleuse qui éclaire faiblement la cuisine à l'autre bout du couloir. Je n'entends rien, mais ne puis chasser l'impression désagréable que quelqu'un s'est introduit dans la maison. Mon rythme cardiaque grimpe en flèche ; je m'adosse au mur et retiens ma respiration. Tous mes sens sont en alerte et mes poings roulés prêts à s'écraser contre le visage de l'intrus. Dehors, une portière de voiture claque et son bruit étouffé confirme mes doutes. Je m'élance aussitôt vers l'entrée principale et ouvre la porte à toute volée, juste à temps pour voir une voiture noire disparaître sur les chapeaux de roue. C'est un véhicule dont je ne reconnais ni la marque ni le modèle, mais l'aspect inhabituel de sa plaque me porte à croire qu'elle n'est pas immatriculée au Québec.

Réveillée par la brusquerie de mes mouvements, Violette émerge de ses quartiers et, précédée de ses chiens, me rejoint sous le porche. Elle porte une robe de chambre de flanelle mauve et sa crinière de fauve a été domptée en une longue natte. Les toutous, eux, ont l'air de se demander pourquoi nous sommes debout à une heure pareille.

— Qu'est-ce qui se passe, Félix ? demande-t-elle en frissonnant.

— On nous espionne ! Je jurerais que quelqu'un est entré dans la maison.

— Vous en êtes sûr ? Je n'ai rien entendu.

— Ça ne fait aucun doute. La fuite précipitée de cette voiture en est la preuve !

Elle passe devant moi et referme la porte par laquelle le vent s'engouffre impitoyablement.

— Ce que vous dites là est presque impossible, Félix, rétorque la rouquine. Personne ne peut entrer en douce dans cette maison sans que les chiens aboient à s'en fendre l'âme.

L'argument de Violette est parfaitement logique, mais, inexplicablement, j'ai la certitude d'être étroitement surveillé. Bien que j'aie vu la voiture quitter l'endroit, j'ai encore la sensation qu'on nous observe, mais je préfère me taire.

— J'ai entendu un téléphone sonner, poursuit-elle en retournant vers le salon.

Sa remarque me rappelle la raison de mon réveil, mais, en cet instant, je me soucie très peu de mes obligations professionnelles. Tandis qu'elle allume une lampe, j'arpente la maison. Coquelicot m'accompagne sans qu'on lui commande de le faire et j'avoue que sa présence à mes côtés me rassure un peu. Je visite chacune des pièces, descends au sous-sol et ouvre tous les placards assez grands pour qu'un homme puisse s'y cacher. Dix minutes plus tard, Coquelicot et moi sommes de retour au salon, fort heureusement bredouilles.

Visiblement nerveuse, Violette s'est assise sur un canapé et Pleurote, couchée à ses pieds, monte une garde approximative.

— Je n'aime pas ça, avoue la sorcière d'une voix faible.

Elle ne bronche pas devant les phénomènes paranormaux les plus déstabilisants, mais l'idée, même improbable, qu'un étranger se soit introduit chez elle en pleine nuit la met dans tous ses états.

— Je n'arriverai certainement pas à refermer l'œil, regrette-t-elle en caressant le sommet du crâne de son chien.

Je sais très bien que je serai moi aussi incapable de me rendormir. Aussi bien mettre à profit ce détestable épisode d'insomnie.

— Vous accepteriez de me conduire à Loretteville ?

— Là, maintenant ? s'étonne-t-elle.

— C'est pour le journal. Je vous expliquerai en route, même si, pour tout vous dire, je ne sais pas grand-chose…

***

Nous nous habillons en hâte et c'est avec un certain soulagement que nous montons dans la voiture. Pleurote et Coquelicot grimpent sur la banquette arrière, car Violette refuse de les laisser derrière elle. Pendant qu'elle lance son auto sur la route, je décide de rappeler Rebecca pour avoir plus de détails.

— Je suis en route, dis-je avec une certaine froideur. Dites-m'en plus sur ces curieuses lumières.

Si Rebecca se montre peu loquace, ce n'est pas par mauvaise volonté. Elle sait finalement très peu de choses sur l'événement, sinon que plusieurs curieux se sont agglutinés dans le stationnement de l'usine de traitement des eaux et que les autorités policières ont été dépêchées sur place. Laconique, notre échange ne dure même pas une minute.

La voiture file doucement sur la route sinueuse qui nous ramène vers la ville. Quand je jette un coup d'œil à mon reflet dans le miroir du pare-soleil, je me rends compte que mes cheveux sont pratiquement dressés à la verticale sur le sommet de mon crâne. Mon pansement me donne l'air d'un pirate amoché et le col de la chemise que j'ai enfilée en hâte est complètement tordu. En un mot, je fais peur.

Violette reste silencieuse jusqu'à ce qu'elle immobilise sa voiture en bordure de la rue qui mène à l'usine de traitement de l'eau. Nous descendons tous les deux et tournons aussitôt notre regard vers le ciel. Des lambeaux de nuages diaphanes glissent sur la voûte noire.

Le croissant de lune se fait très discret et on ne voit pas la moindre étoile.

— Approchons-nous, dis-je en repérant les quelques personnes rassemblées au loin.

L'usine moderne de traitement de l'eau de Loretteville a été construite en bordure de la rivière Saint-Charles, non loin de l'ancien château d'eau tombé en désuétude plusieurs années auparavant. Ce bâtiment porte bien son nom, car ses toits de cuivre, ses murs de pierres et son architecture sophistiquée lui donnent l'allure d'un petit château médiéval. C'est auprès de cet édifice que sont rassemblés une bande de curieux qui discutent avec animation. Une voiture de police aux gyrophares éteints est garée en travers de la route et nous devons la contourner pour rejoindre les badauds. Violette marche dans mon ombre sans quitter le ciel des yeux. Ma carte de presse à la main, j'aborde un policier qui se tient légèrement en retrait du groupe.

— *Télégraphe de Québec*, dis-je tout simplement à l'officier. Racontez-moi ce qui se passe et je vous assure qu'on tue la une !

Le policier ne semble pas apprécier mon trait d'humour. Imperturbable, il détaille ma tête emmaillotée avec un air hautain.

— Regardez par vous-même, dit-il en écarquillant les yeux.

Violette et moi nous retournons d'un même mouvement. L'index du policier pointe une portion de ciel qui se trouve juste au-dessus du toit du château d'eau. Malgré le fin couvert nuageux, nous repérons immédiatement un ensemble de trois lumières qui paraissent fort lointaines. Deux d'entre elles brillent d'un éclat rougeâtre, tandis que la troisième, beaucoup plus lumineuse, est parfaitement blanche. Ces points luminescents, trop gros pour être confondus avec des étoiles ou des planètes, forment un triangle parfait, immobile.

— Qu'est-ce que c'est? demande innocemment Violette au policier.

— Sans doute un aéronef militaire. Ces lumières s'évanouissent et réapparaissent toutes les quinze minutes, comme si l'engin effectuait une ronde.

— Avez-vous communiqué avec la base militaire de Valcartier? dis-je en dégainant mon téléphone pour prendre quelques photos.

— On ne dérange pas l'armée pour quelques lumières qui clignotent dans le ciel, monsieur.

— Pourtant, vous êtes ici…

— Mon confrère et moi sommes ici parce qu'il y a un rassemblement populaire au beau milieu de la nuit, rien de plus.

Il me paraît évident que le policier n'a pas du tout le goût d'être là; je ne saurai rien de plus à discuter avec lui et je m'en éloigne. Violette me suit et se mêle avec moi au groupe de curieux.

— Je pense que ce sont des extraterrestres ! affirme une femme engoncée dans un anorak rouge.

— En tout cas, ça ne peut pas être un avion, lui répond un homme aux cheveux gris. Ces lumières n'ont pas bougé depuis plusieurs heures !

Machinalement, je consulte ma montre. Il est presque quatre heures du matin. Je décide de prendre part aux échanges sans préciser que je suis journaliste. Tout sourire, je me tourne vers la femme au manteau rouge. Sans même essayer de se montrer discrète, elle étudie mon pansement avec une vive curiosité. Je me lance avant qu'elle ne s'intéresse à ma blessure.

— Vous êtes ici depuis longtemps ?

— C'est moi qui ai aperçu ces lumières la première ! explique-t-elle, non sans fierté. Je suis insomniaque et, la nuit, je passe souvent de longues heures à ma fenêtre.

— Quand les avez-vous remarquées ?

La femme est très sympathique et elle semble encline au bavardage. Elle prend une grande inspiration avant de me répondre.

— Je me suis mise au lit tout de suite après le bulletin de nouvelles, mais je n'ai pas réussi à m'endormir. Au bout d'un moment, fatiguée de tourner sur moi-même, j'ai décidé de me lever. J'ai d'abord vu la lumière blanche, la plus forte des trois. J'ai cru qu'il s'agissait de la planète Vénus, mais, quand j'ai remarqué les deux autres lueurs rougeâtres, j'ai compris qu'il n'en était rien. Malgré l'heure tardive, j'ai appelé ma voisine et nous nous sommes rejointes dans la cour pour observer le phénomène. J'habite là-bas, en bordure de la rivière. Vous savez, ce n'est pas tous les jours qu'on voit apparaître des soucoupes volantes dans le ciel !

Mes yeux sont toujours rivés sur l'étrange triangle céleste quand celui-ci disparaît graduellement.

— Vous voyez ? Elles s'éteignent à nouveau ! s'exclame la femme en me gratifiant d'une série de coups de coude.

À l'aide de mon téléphone, je capte une vidéo du phénomène. Quand le ciel redevient parfaitement noir, une question me vient en tête.

— Vous savez à quelle heure elles sont apparues pour la première fois ?

— Évidemment ! Vous pensez bien que j'ai tout noté ! Il était très exactement minuit treize !

6

Québec, 5 h 41

Peu avant cinq heures, les lumières ont semblé éteintes pour de bon et les curieux sont tous rentrés chez eux. Violette et moi sommes les derniers à quitter les abords du château d'eau, maintenant illuminé par les premières lueurs de l'aube.

— Vous pourriez me déposer chez moi? dis-je à Violette en prenant place à bord de sa voiture. Je dois être au journal dans quelques heures.

— Si vous voulez, répond Violette sur un ton que la fatigue affecte.

Il est l'heure d'enlever mon pansement et ma chère sorcière décide de monter quelques minutes chez moi pour ausculter mon œil. Troodie, ma chatte noire et blanche un tantinet obèse, nous accueille en s'enroulant autour de nos jambes.

Je m'assois à la table de la cuisine et attends que les mains expertes de Violette me libèrent des bandelettes de coton qui m'enserrent le crâne. Elle défait prestement le bandage et retire le coussinet de gaze qui cache mon œil fermé. Son visage demeure impassible quand j'entrouvre la paupière. Je n'ai pas de miroir sous la main et je manque de courage pour me diriger vers celui de la salle de bain. Je crains toujours de devoir aller à l'hôpital.

— C'est mieux? dis-je d'une toute petite voix.

Les doigts de Violette écartent très doucement mes paupières et elle approche son visage du mien. À mon grand soulagement, un sourire lumineux se dessine sur ses lèvres.

— Ce n'est pas encore parfait, mais le pire est derrière nous! dit-elle avec une fierté évidente. Il subsiste une légère rougeur dans le coin extérieur de votre œil, mais, d'ici un jour ou deux, tout devrait être rentré dans l'ordre. Maintenant, il faut vous reposer.

— Nous avons tous les deux besoin d'un peu de sommeil.

— Oui, vous avez raison. Je devrais rentrer chez moi…

— Il est hors de question que vous retourniez là-bas toute seule! dis-je en caressant délicatement le tour de mon œil droit.

— Il n'y avait personne, Félix, rétorque Violette sans conviction.

— Je n'en ai pas le cœur net.

— Votre imagination vous a joué un vilain tour. Ne vous en faites pas ! Je suis en sécurité, avec mes chiens.

— Je préférerais tout de même que quelqu'un vous accompagne. Si je demandais à Julien ?

Violette refuse mollement ; je n'ai pas à beaucoup insister pour qu'elle accepte ma proposition. Comme il possède l'âme d'un preux chevalier, Julien ne ronchonne même pas quand je lui demande de servir de garde du corps à la rouquine. Excité à la perspective d'affronter un mystérieux danger, il rebondit chez moi en quelques minutes à peine.

— Tu n'auras qu'à prendre ma voiture pour rentrer, dis-je en lui tendant mon trousseau de clés.

Sans attendre, ils partent tous les deux vers la résidence de la sorcière.

***

Après une longue douche très chaude pendant laquelle je prends soin de ne pas me mettre de savon dans les yeux, j'enfile des vêtements propres. Je me dirige immédiatement vers le journal en dévorant une pomme. Vu qu'il est encore très tôt, je ne croise personne en me rendant à mon bureau.

Le clignotement du voyant lumineux de mon téléphone m'apprend que j'ai plusieurs messages. Je décroche l'appareil et compose mon code d'accès en attrapant un papier et un stylo-bille au cas où il me faudrait prendre des notes.

— *Vous avez sept nouveaux messages*, annonce la voix désincarnée de la messagerie.

Les quatre premiers sont d'Olivier. Comme lors de notre conversation de la veille, la ligne est extrêmement mauvaise, mais je reconnais aisément sa voix nouée par la nervosité. Malgré les interminables grésillements, je réussis à comprendre ce qu'il me dit. Le contenu de ses messages successifs est à peu de choses près toujours le même.

— *J'ai reçu d'autres appels. En fait, j'en reçois sans cesse. La voix répète qu'un grand malheur va se produire! Où êtes-vous, Félix? Je dois vous parler. Vous avez vu les lumières dans le ciel? Je suis désolé de m'être comporté comme je l'ai fait. J'ai eu peur, vous comprenez? Ne me laissez pas tomber. Rappelez-moi…*

Le cinquième message me trouble profondément, car il ressemble à une menace. Le ton de la voix est très calme, mais son timbre a quelque chose d'étrangement métallique. On jurerait qu'il s'agit d'une voix électronique issue d'un mauvais synthétiseur.

— *Je me nomme Indrid Cold. Je vous demande de ne pas écrire davantage à notre sujet. Vous ne savez pas ce que vous avez vu, monsieur Saint-Clair. Il vaudrait mieux nous laisser agir et ne pas semer la panique. Nous vous contacterons en temps voulu.*

Je réécoute ce message à plusieurs reprises avant de le sauvegarder et de passer aux suivants. Je n'ai pas l'intention de me laisser museler aussi facilement et je me promets de faire la lumière sur ce singulier appel. Qui est donc cet intrigant Indrid Cold ?

Les deux derniers messages viennent tout juste d'être déposés dans ma boîte vocale. Ce sont des résidents de Wendake qui réagissent à mon article paru dans le numéro d'aujourd'hui du *Télégraphe*.

— *Je suis Sylvie Boisclair, enseignante à l'école des Ursulines de Québec. Je vous avoue que votre article sur cette étrange créature m'a bouleversée. J'aimerais vous rencontrer. Je suis sûre que ce que j'ai à vous montrer vous intéressera vivement.*

Je termine par le message d'une femme qui affirme elle aussi avoir vu la bête ailée aux yeux rouges. Sa voix chevrotante et la peur que j'y perçois me rendent inconfortable.

— *Monsieur Saint-Clair, j'aimerais vous raconter ce que j'ai vu. Avant de lire votre article, je croyais que j'étais en train de devenir folle. Je suis terrorisée! Je m'appelle Annette Bédard. Rappelez-moi!*

Je raccroche le combiné de mon appareil d'un geste machinal, tout en consultant les notes que je viens de prendre. Le manque de sommeil fait en sorte que je n'ai pas les idées parfaitement claires, mais, comme il est trop tôt pour rendre visite à qui que ce soit, j'entreprends la rédaction d'un papier au sujet des lumières aperçues au-dessus des toits de cuivre du château d'eau.

Le temps file sans que je m'en rende compte. Les yeux rivés à l'écran de mon ordinateur, je tape à toute vitesse quand mon téléphone sonne. Je décroche sans quitter des yeux le texte que je suis en train d'écrire.

— Allo?

Quelques craquements, puis une série de grésillements se font entendre. Je regarde le petit écran de mon appareil, mais une suite de caractères inintelligibles remplace le numéro de l'appelant qui devrait s'y afficher.

— Allo? Qui est à l'appareil? C'est vous, Olivier?

Un bruit affreusement strident me vrille le

tympan et je laisse échapper le combiné sur mon bureau. Quand je le reprends, je n'entends plus que la tonalité de la ligne téléphonique.

7

École des Ursulines de Québec, Loretteville,
10 h 15

L'école des Ursulines de Loretteville, cachée
par la forêt qui borde la rivière Saint-Charles,
est un joli bâtiment aux toits verts et mansar-
dés, à qui les murs de pierres, la porte en arche
et les fenêtres couleur sang-de-bœuf confèrent
l'allure d'une auberge médiévale. Quand j'y
pénètre, je découvre de superbes boiseries, un
escalier grandiose et l'odeur d'encaustique qui
plane dans l'air. Sylvie Boisclair, enseignante
en troisième année du primaire, me rejoint
à la réception de l'établissement quelques
minutes après mon arrivée sur place. C'est une
femme dont je n'arrive pas à deviner l'âge, aux
longs cheveux blonds et aux yeux ambrés. Ses
joues plutôt rondes, son menton légèrement
fuyant et la multitude de taches de rousseur
qui constellent son nez lui donnent un air tout
à fait sympathique. Elle me tend la main en

s'approchant de moi d'un pas aussi lourd que rapide.

— Monsieur Saint-Clair ! lance-t-elle en me détaillant des pieds à la tête. Je suis heureuse que vous soyez venu aussi vite. Suivez-moi, c'est par ici.

Elle m'attrape par le bras et m'entraîne vers une salle de classe vide dont elle referme la porte derrière elle en poussant un long soupir.

— Votre message m'a intrigué, dis-je en m'avançant vers le centre de la pièce, mais votre accueil est encore plus surprenant !

Sylvie réprime un rire nerveux. Elle jette un coup d'œil furtif par la fenêtre qui perce la porte du local avant d'appuyer son dos contre le battant.

— Les parents de nos élèves n'apprécie-raient pas que je parle à un journaliste, m'ap-prend-elle en rougissant jusqu'à la racine des cheveux.

— Je n'aurais peut-être pas dû venir ici. Si vous préférez, je peux m'en aller et…

— Non, ça ira, tranche-t-elle en levant une main pour interrompre ma réplique. J'ai quelques minutes devant moi. Nous pouvons parler.

— Que se passe-t-il, madame Boisclair ?

Les épaules de l'enseignante s'affaissent,

comme si elle se libérait soudain du stress qui l'habite depuis plusieurs jours.

— Je feuillette les journaux chaque jour en prenant mon café, explique-t-elle d'entrée de jeu. Ce matin, je me suis littéralement étranglée en lisant votre article au sujet de cette étrange créature…

— L'auriez-vous aperçue, vous aussi ?

— Mon Dieu, non ! Si ça avait été le cas, j'en serais morte de peur ! Ce n'est pas de moi dont il s'agit, mais bien d'un de mes élèves.

Je demeure silencieux, dans l'espoir que Sylvie Boisclair me confie spontanément ce qui l'émeut à ce point. C'est exactement ce qui se produit.

— Jacob est un petit garçon qui n'a jamais fait d'histoires. Il s'entend bien avec tous ses camarades de classe, ses parents sont d'honnêtes gens et ses résultats scolaires sont au-dessus de la moyenne. C'est un enfant enjoué, en bonne santé et bien élevé. C'est un vrai plaisir d'être son enseignante. En tout cas, ce l'était, mais, depuis une dizaine de jours, c'est une tout autre histoire.

— Que lui est-il arrivé ?

— Jacob n'est plus du tout le même, monsieur Saint-Clair ! Il ne sourit plus, il a perdu l'appétit et il est toujours distrait. J'ai bien essayé de lui parler, mais je n'ai pas réussi à savoir ce qui n'allait pas. Il est distant et ne répond à aucune de mes questions. À la récréation, il refuse de sortir avec les autres et reste appuyé à la fenêtre. J'ai aussi remarqué qu'il était très nerveux. Ses muscles sont constamment tendus et on dirait qu'il attend que quelque chose se produise.

— D'après vous, qu'est-ce qui explique ce soudain changement de comportement?

— Je ne peux pas en être sûre, mais je jurerais que la créature que vous décrivez dans votre article n'est pas étrangère à l'attitude bizarre du garçon.

— Qu'est-ce qui vous fait croire ça?

— Venez!

Sylvie Boisclair quitte le local pour emprunter un long corridor sombre percé de nombreuses portes. Elle avance si rapidement que je dois presque courir derrière elle. L'école n'est pas très grande et nous arrivons bientôt à l'extrémité du couloir. À notre droite, une porte entrouverte donne accès au laboratoire d'arts plastiques. Une douzaine d'enfants, installés autour d'une longue table, sont occupés à peindre sur de grands cartons rectangulaires. Un homme très maigre dont le visage est envahi par une épaisse barbe grise supervise leur travail avec beaucoup de sérieux. Quand il aperçoit Sylvie, il la salue d'un léger mouvement de la tête et quitte la salle de classe sans dire un mot.

— Continuez votre travail, les enfants! ordonne l'enseignante d'une voix forte. C'est très bien! Très bien!

Elle contourne la table et s'arrête derrière un garçon aux cheveux blonds occupé à peindre comme les autres. Ses lèvres roses sont pincées, il fronce les sourcils et tient son pinceau si fort que ses jointures en sont toutes blanches. À mon grand étonnement, le blanc de ses yeux est immaculé.

— J'aimerais montrer ton joli dessin à un ami qui visite notre école, dit Sylvie en se penchant par-dessus l'épaule du garçon. Tu permets que je le prenne une petite minute?

Le garçon soulève son pinceau et se recule en gigotant sur son banc, mais il ne répond pas à son enseignante. La femme attrape le carton et revient vers moi, tout en encourageant au passage les autres artistes en herbe.

— Depuis plusieurs jours, Jacob refait toujours ce même dessin… murmure-t-elle en me présentant l'œuvre du garçon.

Un frisson glacé me parcourt l'échine quand je vois la forme noire peinte par Jacob. La créature qu'il a représentée possède des yeux ronds et mauves, une tête aussi large que la partie supérieure de son corps et de grandes ailes noires qui descendent le long de ses jambes minces. Le sinistre oiseau est aussi haut que les deux sapins qui l'entourent et une lune grise domine l'effrayant ensemble.

— Il gribouille cette chose sur tous les bouts de papier qui lui tombent sous la main, m'apprend Sylvie. Son cahier de mathématiques en est couvert !

Je n'arrive pas à détacher mon regard du dessin de l'enfant. L'oiseau ressemble à un hibou sans bec ou à une chauve-souris gigantesque dont on ne devine pas les traits. Ce qui me scie les jambes, c'est qu'il est en tous points conforme au dessin exécuté par Charles, l'homme rencontré à la chute Kabir Kouba. Hormis la couleur de ses yeux qui, selon les témoignages recueillis à ce jour, devraient être rouges, je me trouve toujours en face de la même créature.

— Vous en avez parlé à ses parents ?

— Évidemment ! Ils sont très inquiets du changement d'attitude de leur fils et ne comprennent rien à l'étrange fixation qu'il fait sur cette créature.

— Vous pourriez me donner un de ses dessins ?

Ma demande déplaît tant à Sylvie qu'elle s'en mord la lèvre inférieure. Je sors mon téléphone de ma poche dans le but de photographier la peinture. Quand elle comprend ce que je m'apprête à faire, elle se détourne et feint de n'en rien voir.

— Dans votre article, vous ne révélez pas l'identité de la personne qui a vu cette créature, dit-elle un instant plus tard en me reprenant le carton des mains.

— Elle veut conserver l'anonymat.

— Je comprends, mais j'aimerais lui parler de Jacob.

— Vous permettez que je le fasse à votre place? Si cette personne désire ensuite vous parler, je vous mettrai en contact.

Sylvie hausse les épaules et hoche la tête, résignée. Elle retourne auprès des enfants, redonne le dessin qu'elle tient à son créateur et prodigue quelques conseils à une fillette qui peint un soleil tout simplement radieux.

— Ce sera bientôt l'heure de la récréation, dit-elle en revenant vers moi. Il faut que vous partiez, monsieur Saint-Clair. Puis-je compter sur votre discrétion?

— Ne vous inquiétez pas pour ça, dis-je en tournant les talons.

— Vous n'essaierez pas de rencontrer les parents de Jacob, n'est-ce pas?

— Je ne ferai rien en ce sens tant que vous ne m'y autoriserez pas. À moins, bien sûr, que le hasard les mette sur mon chemin ! Au revoir, madame Boisclair.

— Vous continuez à faire enquête sur le sujet ? me demande-t-elle tandis que je m'éloigne.

Je me retourne avec un sourire énigmatique.

— Cette histoire ne fait que commencer, dis-je d'une voix basse, presque lugubre. Nous nous reverrons sans doute, madame Boisclair. D'ici là, n'oubliez surtout pas de lire les journaux !

8

Wendake, 11 h 11

Quand je quitte l'école des Ursulines, des flocons de neige fondante descendent lentement d'un ciel blanc. Je monte à bord de ma voiture et me dirige vers la réserve indienne de Wendake, qui se trouve à moins d'un kilomètre de là. Je m'engage dans un quartier si calme qu'il me paraît endormi. Au loin, j'aperçois une femme vêtue d'un manteau fuchsia qui fait une promenade en épiant les maisons du voisinage. Une voiture de police passe à basse vitesse en sens inverse et son conducteur me salue d'un mouvement de la tête. Le temps gris et la quiétude de cet endroit agissent sur moi mieux qu'un somnifère. J'ai peu dormi, mes paupières sont lourdes, mais je n'arrive pas à chasser de mon esprit l'image de la créature ailée aux effroyables yeux rouges qui sévit dans les environs.

Je dois me rendre chez Olivier, mais, avant, je gare ma voiture en bordure de la route. J'attrape mon iPhone et décide de communiquer avec les autorités de la base militaire de Valcartier afin de leur poser quelques questions au sujet des lumières aperçues la nuit précédente. On décroche rapidement, mais on transfère mon appel à de nombreuses reprises et je dois patienter pendant de longues minutes avant qu'un responsable accepte de me parler. Après m'être présenté au capitaine Marc Boulanger, je lui expose le sujet qui me préoccupe.

— J'ai passé une partie de la nuit à observer trois lumières statiques apparues vers minuit dans le ciel de Québec, dis-je en consultant mes notes.

— Je n'ai pas vu ces lumières, mais on m'en a parlé, affirme plutôt sèchement le capitaine.

— Connaissez-vous leur source?

Ostensiblement ennuyé par la curiosité des médias, l'homme toussote avant de me répondre.

— L'armée canadienne n'a mené aucune opération aérienne la nuit dernière.

— Ainsi, vos appareils n'ont pas survolé la région hier soir.

— C'est exactement ce que je viens de vous dire.

— Croyez-vous qu'il pourrait s'agir d'un avion commercial?

— Je n'en sais rien, monsieur. Je peux toutefois confirmer qu'aucune instance privée ou gouvernementale ne nous a prévenus qu'elle traverserait notre espace aérien. Les lumières que vous avez vues ne provenaient pas d'un aéronef.

— À qui doivent-elles être attribuées, dans ce cas?

Le capitaine Boulanger soupire, puis laisse échapper un rire suffisant.

— Je vous en prie, ne tombez pas dans le panneau du sensationnalisme pour vendre quelques milliers d'exemplaires de plus, monsieur Saint-Clair! Bien des causes parfaitement rationnelles peuvent expliquer ce que vous et plusieurs autres avez aperçu. L'histoire de la sonde météorologique et des autres petits objets envoyés en altitude dans le cadre d'une étude scientifique vous est certainement connue. Qui plus est, il n'est pas rare que l'atmosphère elle-même reflète des lumières projetées depuis la terre. Il peut aussi s'agir d'un phénomène astronomique et, dans ce cas, je ne suis pas la bonne personne à interroger.

Il semble bien informé en matière d'apparitions célestes et cela aiguise d'autant ma curiosité. À vrai dire, en passant ce coup de fil, je m'attendais plutôt à être rudement éconduit par les autorités militaires.

— Je détiens plusieurs photos de ces lumières, ainsi qu'une courte vidéo, lui dis-je dans l'espoir de freiner son élan spéculatif. J'aimerais vous les présenter. Vous pourriez me donner votre avis quant à leur provenance.

— Je regrette, mais vos photos ne m'intéressent pas.

— Je pourrais vous les faire parvenir par courrier électronique…

— Monsieur Saint-Clair, je vous répète que l'armée canadienne n'a rien à voir avec ces lumières. Je ne répondrai à aucune autre question, car cet entretien est terminé. Je vous souhaite une bonne journée.

Le capitaine Boulanger met fin à la communication sans attendre que je le salue à mon tour. Je déteste qu'on me raccroche au nez, mais la colère qu'une telle effronterie fait monter en moi a tout de même l'avantage de chasser le sable qui s'accumulait dans mes yeux.

***

Olivier habite une maison luxueuse qui se trouve tout au fond de la réserve indienne et je m'y rends sans délai. Le toit noir, la pierre grise et les volets rouges de la résidence lui confèrent un aspect gothique que deux arbres dénudés se plaisent à rendre encore plus lugubre. Je me dirige vers l'entrée principale d'un pas décidé et la porte s'ouvre avant même que j'appuie sur la sonnette. Olivier se tient devant moi; il ne porte pas ses lunettes de soleil. Ses yeux injectés de sang me mettent mal à l'aise, mais j'essaie de ne pas me laisser décontenancer.

— Je t'attendais, dit-il en s'esquivant pour me laisser passer. Entre!

Il referme la porte après avoir jeté un coup d'œil aux alentours, un peu comme s'il craignait qu'on l'espionne. Il me semble aussi nerveux que lors de notre première rencontre.

— On dirait que ton œil va mieux, dit-il en me précédant au salon.

Olivier me parle d'une façon beaucoup plus familière que la veille, mais je ne m'en formalise pas. Je préfère vouvoyer les gens que je rencontre dans le cadre de mon travail, mais ils ne sont pas tenus de se montrer aussi courtois envers moi.

Un silence sépulcral règne dans toute la maison. Quand je m'avance à mon tour dans la pièce au décor contemporain, je peux entendre le tic-tac d'une horloge que je ne vois nulle part. À l'invitation muette de mon hôte, je m'assois sur un divan dont le cuir noir et lustré proteste sous mon poids.

— Je vous propose un marché, Olivier, dis-je en prenant soin de ne pas parler trop fort. Vous me racontez votre histoire et vous répondez gentiment à toutes mes questions ; moi, en échange, je vous présente à une femme capable de guérir vos pauvres yeux.

Olivier se tient toujours debout au milieu du salon et me toise de son regard incandescent. Il paraît de si mauvaise humeur que je commence à croire qu'il pourrait se jeter sur moi. L'atmosphère est lourde. Les secondes s'égrènent trop lentement. L'homme ouvre plusieurs fois la bouche comme s'il s'apprêtait à parler, mais il la referme comme s'il ne parvenait pas à trouver les mots.

— Je suis très inquiet à votre sujet, Olivier, dis-je le plus doucement possible. Vous n'êtes pas bien. Laissez-moi vous aider.

Une veine palpite à la tempe du jeune homme et son front se couvre instantanément de sueur. Des tics nerveux déforment les traits de son visage et il oscille d'une jambe sur l'autre comme s'il marchait sur des charbons ardents. Étant donné qu'il ne dit toujours rien et qu'il semble sur le point d'éclater, je me lève et fais mine de m'approcher de lui. Il dégaine alors un petit pistolet de la poche arrière de son jeans et le braque sur moi. Instinctivement, et surtout parce que je ne veux pas mourir aussi jeune, je lève les mains en l'air.

— Je veux que tu me foutes la paix! me crache-t-il au visage.

Je ne comprends plus rien. Olivier m'a lui-même invité à lui rendre visite.

— Je suis ici parce que vous me l'avez demandé, Olivier.

— Arrête de me prendre pour un imbécile et dis-moi ce que tu veux! hurle-t-il. Je t'ai laissé ces messages pour t'attirer ici, afin qu'on règle cette affaire!

Totalement déstabilisé, je ne sais quoi lui répondre. Les mains toujours à la hauteur des épaules, je n'ose bouger le petit orteil.

— Je ne veux rien, sinon comprendre ce qui vous arrive.

— Pourquoi es-tu venu ici la nuit dernière?

J'ai l'impression de devenir fou. Les propos d'Olivier n'ont aucun sens.

— Je n'ai jamais mis les pieds chez vous. Nous nous sommes rencontrés hier pour la première fois et ce n'était pas ici, mais bien dans un restaurant.

— C'est toi qui appelles sans arrêt, toutes les nuits? Ça t'amuse de faire peur aux gens, espèce de petit con?

On nage en plein délire et j'ai peur que les choses tournent mal. La gueule de l'arme est toujours pointée en direction de ma poitrine et la colère d'Olivier ne fait que gagner en intensité. Je tente une nouvelle fois de l'apaiser.

— Expliquez-moi, Olivier! Je veux comprendre. Assoyons-nous et discutons, vous voulez bien?

— Ce n'est pas toi qui commandes! beugle-t-il en soulevant son arme pour la pointer vers mon front.

— Olivier, je ne vois pas ce que j'ai pu faire pour vous mettre en colère, mais…

Le jeune homme se jette sur moi comme un taureau qui chargerait un imprudent toréador. La surprise me fait perdre l'équilibre et je tombe à la renverse sur le divan. Il enfonce son genou dans mes côtes, m'attrape au collet et appuie le canon de son arme contre ma tempe. La froideur du métal me fait l'effet d'une brûlure. Maintenant, je crains vraiment de sortir de cette maison de fou les pieds devant.

— Si tu reviens ici, si tu oses à nouveau passer dans cette rue, je te tue! gronde-t-il entre ses dents serrées.

Il me libère brusquement et recule vers le hall d'entrée. Bien que j'aie le souffle coupé, je me relève précipitamment. Olivier me surveille et me tient toujours en joue. Je sais qu'il s'apprête à me mettre à la porte, mais, comme je veux comprendre, j'ose faire une dernière tentative.

— D'autres personnes ont vu cette créature, Olivier, dis-je en joignant les mains.

Visiblement, mon affirmation l'ébranle, mais il demeure silencieux. Une larme rouge glisse sur sa joue ; il l'écrase d'un mouvement impatient.

— Maintenant, si vous le voulez bien, je vais partir.

Olivier reste de marbre et je me risque à avancer vers la porte principale.

— Je veux que vous sachiez que je ne suis jamais venu ici et que ce n'est pas moi qui vous ai appelé en pleine nuit. Je le jure !

— Va-t'en ! rugit-il en désignant la porte du bout de son pistolet.

Je quitte la maison avec un tel empressement que je ne prends même pas la peine de refermer la porte derrière moi. Je me dirige vers ma voiture quand Olivier m'interpelle. Mes épaules se crispent, car je crains de prendre une balle en plein dos.

— Hé ! Tu pourrais au moins me dire ce que ça signifie !

J'hésite à me retourner. Les propos du jeune homme sont erratiques et il vient de me prouver qu'il a tout à fait perdu les pédales. Je n'ai pas envie de continuer à discuter avec lui.

— *271 Kabir Kouba, vingt-sept mourront!* crie-t-il malgré mon mutisme. Ça doit bien vouloir dire quelque chose!

9

Wendake, 12 h 58

Passablement secoué par ma mésaventure, je roule jusqu'à une rue parallèle en bordure de laquelle je me gare pour reprendre mes esprits. J'essaie de chasser les frissons qui me parcourent l'échine en réglant le chauffage au maximum. Dans l'espoir de me changer les idées, mais aussi de calmer mon inquiétude pour Violette, je décide de passer un coup de fil à Julien.

— Félix! J'essaie de t'appeler depuis des heures! se plaint-il en décrochant.

— C'est bizarre, je n'ai rien entendu et pourtant mon téléphone ne m'a pas quitté de toute la matinée.

— Peu importe. Violette va bien. On a passé la maison au peigne fin et je peux t'assurer qu'il n'y a personne qui s'y cache. Par contre, on a trouvé un truc étonnant.

— Qu'est-ce que c'est?

— Une carte professionnelle. Elle était posée bien en évidence sur la console de l'entrée, à côté du bouquet de fleurs.

Je n'ai donc pas rêvé. Quelqu'un s'est bel et bien introduit dans la résidence de Violette la nuit dernière.

— Ah bon? Et de qui est-ce?

— Un certain R. C. Christian. Il n'y a rien d'autre d'écrit dessus.

— R. C. Christian? Ça te dit quelque chose?

— Non, mais j'ai tout de même fait quelques recherches sur Internet.

— Je n'en attendais pas moins de toi!

— R. C. Christian est associé à un étrange monument érigé dans l'État de Géorgie, aux États-Unis. C'est en quelque sorte le Stonehenge de l'Amérique!

— Je n'ai jamais entendu parler d'une chose pareille!

— Moi non plus avant d'inscrire le nom de ce cher R. C. Christian dans un moteur de recherche.

— Dis-m'en plus.

— Les Georgia Guidestones, car c'est ainsi qu'on appelle le monument, ont été commandées en 1979 par R. C. Christian à une compagnie spécialisée dans la taille du granite, raconte Julien. Elles se trouvent dans le comté d'Elbert, au nord de la Géorgie, sur les terres d'un couple de fermiers. Tout ce qui les entoure est mystérieux. D'après mes recherches, R. C. Christian serait un pseudonyme et nul n'a jamais découvert qui se cachait derrière cette identité.

— Mais pourquoi faire toute une histoire autour d'un morceau de granite?

— Ce monument n'est pas qu'un banal ensemble d'énormes tablettes dressées vers le ciel, Félix! Quelque chose est gravé dans la pierre.

— Est-ce qu'il s'agit d'idéogrammes, ou d'un texte?

— D'un texte. En huit langues, s'il te plaît! On dirait des commandements.

Je l'avoue, je suis un peu perdu. Il s'est passé tant de choses au cours des dernières heures que j'ai du mal à assimiler l'information que me transmet Julien.

— Le premier dit ceci: *Maintenez l'humanité en dessous de 500 000 000 individus en perpétuel équilibre avec la nature.* Tu te rends compte? On est plus de huit milliards d'humains sur la Terre! Et il y a neuf autres commandements après celui-ci.

— C'est fascinant, mais ça ne nous dit pas qui est ce R. C. Christian et ce qu'il faisait chez Violette la nuit dernière…

— Tu as raison, mais on ne peut pas rejeter ce que j'ai découvert pour autant, n'est-ce pas ? Le nom de votre visiteur nocturne et celui de l'homme qui a fait ériger ce monument à l'autre bout des États-Unis est le même !

— On va devoir poursuivre nos recherches à ce sujet.

Je m'attends à ce que Julien se propose pour élucider l'affaire, mais je n'entends rien de tel.

— Allo ? Allo ? Julien, tu es toujours là ?

La ligne a été coupée abruptement et plus aucune tonalité ne me parvient. Quand je regarde l'écran de mon téléphone, je constate que sa pile est à plat. Je le branche aussitôt au chargeur de l'auto, mais, bizarrement, l'écran reste noir ; l'appareil est en panne. Ennuyé, je décide de me remettre en route. Je ne me souviens pas d'avoir éteint le moteur de la voiture, mais, quand je veux redémarrer, rien ne fonctionne.

***

Annette Bédard n'habite pas très loin de l'endroit où je me trouve et c'est animé par une humeur noire que j'arpente les rues de Wendake. Des flocons de neige continuent de tomber, mais ils fondent dès qu'ils touchent le sol. Le vent, constant sans être cinglant, propulse les minuscules cristaux glacés contre mon visage. Je suis tendu comme la corde d'un arc, je ne sais plus très bien où j'en suis et je commence à regretter que le rédacteur en chef m'ait confié cette affaire.

C'est, bien sûr, sans m'annoncer que je me présente chez Annette Bédard. Elle habite une jolie maison rectangulaire, très haute et de style américain, percée de plusieurs grandes fenêtres munies de volets foncés. La femme qui m'ouvre la porte doit avoir la soixantaine ; sa silhouette s'alourdit d'un léger surplus de poids et ses cheveux sont poivre et sel. Elle porte une jupe grise et un chemisier d'un jaune vif qui ravive l'éclat de ses joues roses. Ses petits yeux pétillants se cachent derrière une paire de lunettes à la monture dorée et à ses poignets cliquettent une pléthore de bracelets.

— Où est votre voiture ? Vous êtes venu à pied ? s'étonne-t-elle en jetant un coup d'œil méfiant derrière moi.

— Je suis tombé en panne et la pile de mon téléphone est morte.

— Vous n'êtes pas chanceux. Je peux voir votre carte de presse ?

Annette hésite à me laisser entrer chez elle et je comprends sa réticence. Elle ne me connaît pas, j'arrive de nulle part comme un va-nu-pieds et je prétends que tous les malheurs du monde me sont tombés dessus. Je lui tends ma carte. Elle prend le temps de l'examiner avec soin avant de s'écarter pour me laisser entrer. Nous nous dirigeons vers la cuisine sans échanger un mot, mais je remarque en traversant la maison le luxe évident qui caractérise la décoration des pièces. La propriétaire des lieux m'invite à m'asseoir à une table qui jouxte la baie vitrée donnant sur la cour arrière. Un exemplaire de l'édition du jour du *Télégraphe de Québec* est ouvert devant moi.

— Vous voulez boire quelque chose? me demande-t-elle avec une impeccable courtoisie. Je viens de faire du café.

— Ce sera parfait, merci!

Annette attrape deux tasses, y verse le breuvage et vient s'asseoir en face de moi. Elle pose ses mains de chaque côté du gobelet et laisse son regard se perdre vers l'extérieur.

— Ce que j'ai vu se cachait parmi ces arbres, dit-elle en pointant le fond du terrain.

La maison d'Annette Bédard est adossée à un boisé très dense qui longe toute la partie est de la réserve indienne de Wendake. Des conifères et plusieurs variétés de feuillus se disputent l'espace et croisent leurs branches pour créer une forêt impraticable à travers laquelle on ne distingue pas grand-chose.

— Quand est-ce arrivé?

— Il y a trois jours. Il devait être un peu plus de vingt heures.

— Qu'avez-vous vu, exactement?

Ma question rappelle de troublantes images à la femme, qui se crispe.

— Je faisais la vaisselle et, comme vous le voyez, l'évier fait face à la fenêtre, raconte-t-elle en plongeant son regard dans sa tasse de café. J'avais fait couler de l'eau trop chaude et il a fallu que j'attende d'être capable d'y plonger les mains. Je triturais distraitement les fibres de ma lavette quand j'ai remarqué un mouvement à travers les arbres. J'ai d'abord cru qu'il s'agissait d'un ombrage, mais le mouvement s'est répété. Les branches des arbres bougeaient brusquement et leur oscillation était bien plus prononcée que celle provoquée par un vent puissant. Le sommet du gros sapin que vous voyez là se balançait comme la tête d'une poupée de chiffon qu'on agite!

— À ce moment-là, la créature était-elle visible?

— Non. Rien. Que du noir et des arbres qui tanguent dangereusement.

— Que s'est-il passé ensuite?

— J'écoute toujours la radio quand je range la cuisine. Une chaîne de musique classique que j'adore. Je trouve ça apaisant. Si je vous en parle, c'est que, au moment même où les arbres se sont mis à bouger, le poste de radio s'est déréglé et a commencé à émettre des crachotements bizarres. Mon mari était au salon. Je l'ai appelé, mais il n'a pas répondu. J'aurais bien voulu aller le chercher, mais j'étais incapable de détacher mon regard du boisé. Un bruit strident s'est échappé de la radio et j'ai cru un instant que les fenêtres allaient voler en éclats !

— Votre mari n'a rien entendu ?

— Il s'était assoupi et il dort comme une souche. En fait, je me demande maintenant si ce bruit était effectivement aussi fort qu'il m'a paru.

— Votre poste de radio fonctionne toujours ?

— Très bien, mais j'ai dû changer les piles.

— Poursuivez, je vous prie !

— Vous allez me croire folle, monsieur Saint-Clair !

— Je ne juge personne, madame Bédard. Je suis ici pour entendre votre histoire et recueillir des faits, rien de plus.

— Vous allez écrire ça dans votre journal ? demande Annette en tapotant l'exemplaire qui se trouve entre nous.

Je réfléchis un moment avant de répondre à sa question. Mon hôtesse ressent manifestement le besoin de se livrer, mais je ne crois pas qu'elle ait envie de faire la une du journal.

— Quelque chose se passe dans les environs, madame Bédard. Des personnes différentes m'ont fait des confidences très surprenantes ces dernières heures. D'après vous, les gens de la région ont-ils le droit de savoir ce qui se passe dans leur voisinage?

Annette Bédard esquisse un sourire gêné et s'accorde une gorgée de café avant de reprendre son récit. Je profite de la pause pour prendre mon calepin de notes et jeter quelques idées sur le papier.

— La bête est apparue entre les arbres. Elle a littéralement bondi pour s'accrocher au sommet de l'épinette. J'étais incapable de hurler et, quand j'ai voulu fuir, mes pieds sont restés collés au sol! J'étais tétanisée!

— Pourriez-vous dessiner la créature? dis-je en poussant mon calepin vers elle.

— Je ne suis pas très douée pour les arts, mais je peux vous décrire ce que j'ai vu.

Comme les autres témoins de ces apparitions insolites, Annette me parle d'un oiseau immense au ramage foncé, semblable à un hibou aux ailes disproportionnées, mais doté de jambes humaines un peu tordues.

— Avez-vous pu voir le visage de la bête?

— Sa tête semblait enfoncée dans son corps, répond-elle en rentrant son propre chef dans ses épaules. Comme elle ne s'est jamais tournée vers moi, je n'ai pu voir ni son bec ni ses yeux.

Comme elle n'a pas croisé le regard de braise de l'oiseau, c'est sans doute la raison pour laquelle ses propres yeux ne présentent aucun symptôme d'inflammation.

— Il ventait beaucoup, ce soir-là. Quand la créature a déployé ses ailes, elle a été emportée très rapidement dans le ciel, comme si un câble invisible la tirait en altitude. Elle a disparu presque aussitôt. Bouleversée, j'ai abandonné la vaisselle dans l'évier et je suis allée tout raconter à mon mari. Évidemment, il ne m'a pas crue et je suis montée à ma chambre. J'ai tiré les rideaux avant d'allumer toutes les lumières de la pièce. Je me suis ensuite étendue sur mon lit pour essayer de retrouver mon calme.

De toute évidence, Annette ressent un grand besoin de raconter son histoire. Elle recommence son récit à au moins trois reprises en prenant soin d'utiliser des mots différents pour décrire le même phénomène. Comme un enquêteur qui se plaît à contre-interroger ses suspects, je lui pose de nombreuses questions dans l'espoir qu'un détail oublié lui revienne en mémoire. Malheureusement, je n'apprends rien de plus. Je m'apprête à prendre congé quand elle évoque un nouvel élément fort intrigant.

— Le lendemain, au beau milieu de l'après-midi, on a sonné à ma porte. Habituellement, je n'ouvre pas quand je suis seule à la maison, mais, cette fois, j'ai enfreint ma propre règle sans trop savoir pourquoi. Un homme entièrement vêtu de noir se tenait sous le porche. Pour tout vous dire, il vous ressemblait beaucoup, à la différence que sa peau était basanée et ses cheveux noirs, lissés sur son crâne. Je ne pouvais pas voir ses yeux, car, malgré le temps nuageux, il portait des lunettes de soleil. C'est pour cette raison que j'ai hésité à vous laisser entrer…

L'aveu de la femme me rend encore plus nerveux. Un homme qui me ressemble et qui fait preuve d'un comportement étrange se balade dans les environs.

— Qui était-ce ?

— Il ne m'a pas dit son nom.

— Vous l'avez laissé entrer chez vous ?

— Non, il est resté à l'extérieur.

— Que désirait-il ?

— Il m'a posé quelques questions sur les gens des environs. Il m'a demandé, par exemple, si mes voisins croyaient en Dieu. Il a voulu savoir si je possédais un ordinateur ou un téléphone cellulaire. Je ne me souviens pas de toutes ses questions, mais elles allaient dans toutes les directions, sans le moindre fil conducteur. Avant de partir, il a dit qu'il savait ce que j'avais vu la veille et m'a demandé si j'entendais communiquer avec les policiers pour leur raconter ce dont j'avais été témoin.

— Que lui avez-vous répondu?

— Vous savez, je ne voulais pas avoir d'ennuis avec cet homme.

— Ce qui veut dire?

— Je lui ai dit que je ne voyais pas pourquoi je mêlerais la police à l'affaire!

— Il est parti là-dessus?

— Oui. Je l'ai vu monter dans une grosse voiture noire qui s'est éloignée très lentement et qui a disparu au bout de la rue.

— Est-il revenu, depuis?

Annette détourne le regard et le laisse se perdre de l'autre côté de la fenêtre. Elle réprime un frisson et pince les lèvres avant de me répondre.

— Pas encore, mais je suis certaine qu'il réapparaîtra tôt ou tard.

10

J'ai pris congé d'Annette Bédard après avoir utilisé son téléphone pour appeler une dépanneuse. En regagnant ma voiture abandonnée quelques rues plus loin, j'ai trituré mon téléphone dans l'espoir que mes manœuvres désespérées parviennent à le ressusciter. Rien à faire, l'écran tactile de l'appareil est resté parfaitement noir.

Quand je suis monté à bord de la dépanneuse, j'avais tant de choses en tête que je ne pensais même plus au problème que représentait ma voiture. Je me remémorais les confidences de tous les gens que je venais de rencontrer et je constatais que leurs témoignages avaient réussi à me faire croire qu'une créature insolite hantait les environs. D'un autre côté, il était possible qu'il s'agît d'un canular et je préférais me montrer prudent. À nouveau, le scepticisme pouvait s'avérer un allié précieux.

C'est au volant d'une voiture de service à l'habitacle plutôt malodorant que je rentre chez moi en soirée. Dès que je pousse la porte de mon appartement, Troodie m'accueille en miaulant puissamment. Cela signifie, en langage félin, que son écuelle est vide depuis plusieurs heures. Je lui octroie une nouvelle ration de moulée avant de brancher mon téléphone à plat à son chargeur, d'attraper mon ordinateur, de m'installer au salon et de consulter mes courriels.

À travers un nombre ahurissant d'envois publicitaires, je remarque un nouveau message de la part de Violette Leduc. J'y retrouve les coordonnées de son ami, le cryptozoologue Jonathan London, à qui elle a brièvement raconté mes récentes tribulations. Elle m'apprend qu'il accepte de m'accorder un entretien et qu'il me suggère de communiquer avec lui au moyen de Skype. J'envoie sans attendre à ce monsieur une demande d'ajout à ma liste de contacts et, à ma grande surprise, elle est immédiatement acceptée.

— On dirait que monsieur London est impatient de faire une grosse prise ! dis-je en cliquant sur le bouton pour lancer la conversation.

Ma boîte de réception disparaît derrière l'image plein écran d'un homme installé devant son ordinateur. Derrière lui, je remarque une bibliothèque chargée de livres et le coin d'une fenêtre dont les rideaux ont été tirés. Jonathan London a les yeux bleus, le visage anguleux et des cheveux argentés qui détonnent par rapport à son allure jeune et sportive. Il porte un chandail bleu marine, une chemise blanche au col avachi et un anneau doré à l'auriculaire droit.

— Monsieur Saint-Clair? dit-il avec un fort accent anglophone. Je suis Jonathan London et je suis heureux que nous puissions nous parler aussi rapidement.

— Je vous remercie de me consacrer un peu de votre temps.

Il incline la tête, fronce les sourcils et tourne son regard vers quelque chose qui se trouve à côté de lui et que je ne peux pas voir.

— Dites-moi, monsieur Saint-Clair, énonce-t-il lentement en plaçant une image obscure devant sa poitrine, la créature qui a été aperçue ressemblait-elle à ceci?

L'homme tient entre ses doigts une représentation artistique d'un grand volatile au corps sombre et aux yeux rouges. La bête est dotée de longs bras qui évoquent ceux des primates, son corps à la peau sombre est par endroits recouvert de poils et ses ailes ressemblent à celles d'une chauve-souris. Contrairement à ce que j'aurais pu croire, le visage de la créature ne présente pas de bec ou de nez proéminent. En fait, on n'y remarque rien sinon de grands yeux ronds et rouges et des lèvres humanoïdes très fines qui ne réussissent pas à cacher une rangée de dents pointues.

— C'est en tous points semblable aux dessins qu'en ont faits les témoins.

— Cette créature s'appelle un homme-phalène, mais ceux qui la connaissent la désignent le plus souvent par son appellation anglaise: le *mothman*.

— Ce nom ne m'est pas inconnu…

— Plusieurs essais lui ont été consacrés et le phénomène a aussi fait l'objet de documentaires et de films. L'homme-phalène figure parmi les créatures les plus intrigantes étudiées en cryptozoologie, mais il y a plus grave.

— Quoi donc?

— Les apparitions de l'homme-phalène sont toujours annonciatrices de graves catastrophes.

— Il s'agit donc d'un oiseau de malheur, dis-je dans l'espoir de dérider mon interlocuteur.

L'homme fronce les sourcils. Mon trait d'esprit ne l'amuse pas du tout.

— C'est extrêmement sérieux, monsieur Saint-Clair. Combien de personnes l'ont aperçu?

La question de Jonathan London me force à faire le décompte. Il y a d'abord Olivier, mais je ne sais pas si sa copine, qui marchait avec lui dans le sentier ce soir-là, a également vu l'homme-phalène. Charles a été témoin de son envol alors qu'il prenait un repas avec des amis au restaurant *La Sagamité*. Je ne sais rien des circonstances entourant la manifestation dont aurait été témoin le jeune Jacob, mais ses dessins laissent supposer que le garçon l'a bel et bien vu. Finalement, il y a Annette, qui a repéré la bête à travers les arbres derrière sa maison.

— Quatre personnes, lui dis-je en omettant volontairement de lui parler de mon propre souvenir nocturne et de la rougeur oculaire qui s'en est ensuivie.

— En combien de temps?

— Environ dix jours.

— C'est très inquiétant. On peut compter que d'autres témoins se manifesteront dans les prochains jours. Quand l'homme-phalène apparaît, il se fait rarement discret.

— Hum! Pourrait-il s'agir d'une mystification montée par je ne sais qui dans je ne sais quel but? Certes, le recoupement des témoignages est troublant, mais je conçois toujours des doutes quant à l'existence de cette entité. Que savez-vous sur elle, monsieur London ?

Jonathan se gratte la tête après avoir mis de côté le dessin qu'il tenait toujours devant la caméra. Il feuillette un carnet de notes aux pages noircies d'une fine écriture avant de répondre à ma question.

— L'homme-phalène existe, monsieur Saint-Clair. Les événements survenus au cours de l'année 1967 dans la petite ville de Point Pleasant, en Virginie-Occidentale, nous obligent à y croire.

— Racontez-moi.

London se cale dans son fauteuil et croise les mains sur sa poitrine. Je comprends que nous en avons pour un long moment et je m'installe moi aussi le plus confortablement possible. Je regrette presque de ne pas m'être préparé un sac de popcorn.

— Ce que le cryptozoologue moderne appelle l'homme-phalène est apparu pour la première fois à cinq hommes qui travaillaient dans le cimetière de Clendenin, en Virginie-Occidentale, le 12 novembre 1966. Ces types s'affairaient à creuser une tombe quand une créature brunâtre de grande dimension est subitement sortie d'un bosquet et a pris son envol devant eux. Les hommes craignaient qu'on les prenne pour des fous et c'est pourquoi ils n'ont pas tout de suite parlé de l'étrange apparition dont ils venaient d'être les témoins. Trois jours plus tard, ce sont deux couples de jeunes gens qui ont aperçu la créature alors qu'ils faisaient une balade en voiture du côté de l'ancienne usine de TNT, à quelques kilomètres de la ville de Point Pleasant.

— Qu'ont-ils vu, exactement?

— Une grosse bête à la forme vaguement humaine de plus de deux mètres de hauteur, avec des ailes repliées sur le dos et d'énormes yeux rouges. Elle se tenait près d'un réservoir, non loin d'une clôture qui ceinturait la zone de l'usine. Effrayés, les jeunes gens se sont enfuis en empruntant la route 62 qui devait les ramener au village. Alors qu'ils roulaient depuis plusieurs minutes, ils ont de nouveau aperçu l'homme-phalène sur le bas-côté de la route. Il s'est envolé et s'est mis à poursuivre la voiture. Le conducteur a enfoncé l'accélérateur, mais, à sa grande stupéfaction, la créature les a suivis. D'après lui, elle filait à plus de cent soixante kilomètres à l'heure!

— Ont-ils réussi à la semer?

— L'homme-phalène a disparu juste avant que la voiture pénètre dans le centre-ville de Point Pleasant. Les quatre jeunes se sont immédiatement rendus au bureau du shérif pour déclarer ce qu'ils avaient vu. Leurs témoignages ont été enregistrés et les policiers du village ont assuré que leurs dires étaient dignes de foi.

— Et après? Est-ce là l'unique manifestation de l'homme-phalène?

Jonathan secoue la tête et ses yeux d'un bleu polaire se rivent à la caméra qui me permet de le voir. Malgré la distance qui nous sépare, j'ai l'impression de me trouver dans la même pièce que lui.

— On l'a revu le lendemain, répond Jonathan. Sur la foi des témoignages des quatre jeunes, une battue avait été organisée dans les environs de l'usine de TNT avec l'espoir de le débusquer. C'est peut-être le tapage qu'ont fait les citadins qui a forcé la bête à sortir de sa cachette. Elle s'est approchée d'une maison construite en bordure de la zone désaffectée entourant l'usine et a grimpé jusqu'au porche. Les résidents ont dit être tombés face à face avec une chose large et grise, dotée d'yeux rougeoyants, qui a littéralement émergé du sol pour venir les dévisager à travers le carreau de la porte principale. Ces gens ont ensuite présenté d'importantes lésions aux yeux. Je m'arrête ici, mais vous devez savoir que plusieurs autres apparitions ont été signalées pendant l'année qui a suivi.

Les révélations de Jonathan London me scient les jambes. Les témoignages qu'il relate s'apparentent à ceux des gens que j'ai rencontrés à Wendake. La description qu'il fait de l'homme-phalène, même si elle a près de cinquante ans d'âge et qu'elle est due à des gens qui habitent à plusieurs centaines de kilomètres de Québec, colle parfaitement à la créature qui sévit dans les parages. Mon air songeur n'échappe pas à mon interlocuteur, qui épie la moindre de mes réactions.

— Si je vous disais, monsieur Saint-Clair, que, pendant cette même année 1967, des phénomènes extraterrestres ont été signalés à plusieurs reprises dans le comté, cela piquerait-il davantage votre curiosité?

— Quel genre de phénomènes?

— Surtout des lumières aperçues dans le ciel, mais aussi quelques cas d'objets volants à l'aspect métallique repérés à quelques mètres du sol en bordure des routes de campagne.

Ces paroles sèment le trouble dans mon esprit. Il y a deux secondes, ma logique essayait toujours de trouver une explication rationnelle à la similitude entre les témoignages, mais maintenant je n'arrive plus à me convaincre qu'il s'agit d'une coïncidence. Pour London, mon silence est plus éloquent que n'importe quelle parole.

— Violette m'a décrit ce que vous avez vu dans le ciel de Québec la nuit dernière, monsieur Saint-Clair. Comment expliquez-vous la présence de ces trois lumières immobiles pendant plusieurs heures?

Le cryptozoologue me sait ébranlé et il en profite pour réduire à néant ce qu'il me restait de doutes. Je ne sais pas comment décrire la sensation qui m'assaille ni comment expliquer pourquoi j'ai soudain une boule dans le ventre, mais j'ai l'impression que le monde tel que je le connais vient de disparaître. J'ai le sentiment d'être le premier homme sur cette planète à détenir la preuve de l'existence d'une vie extraterrestre et cela me donne le vertige.

— Cette série d'apparitions et de phénomènes insolites a culminé le 15 décembre 1967 avec l'effondrement du Silver Bridge, un pont reliant la Virginie-Occidentale à l'Ohio, continue London malgré mon mutisme. La plupart des observateurs, dont un certain John Keel qui a consacré de nombreuses années de sa vie à traquer l'homme-phalène, font un parallèle entre la tragédie du Silver Bridge et l'apparition de ce papillon aux yeux rouges. En ce sens, je crois qu'il vaut mieux être prudent et, sans alarmisme inutile, tenter de faire des rapprochements entre ce qui s'est passé là-bas et l'apparition de la créature dans votre ville. Corrigez-moi si je fais erreur, monsieur Saint-Clair, mais le pont de Québec ne s'est-il pas déjà effondré à deux reprises?

11

Je ne sais trop si Jonathan London est alarmiste ou s'il s'inquiète à juste titre, mais ses paroles hantent mes pensées tandis que je consulte distraitement le fil d'actualité de ma page Facebook. Je n'ai allumé aucune lumière dans mon appartement et la noirceur m'enveloppe comme une chape de laine très pesante. J'ai un peu froid en raison du vilain courant d'air qui s'infiltre par l'une des fenêtres du salon, mais je suis trop engourdi pour aller chercher un chandail. Couchée tout contre ma cuisse, Troodie dort, fidèle à son habitude.

J'ai épluché l'Internet à la recherche d'informations sur l'homme-phalène et la ville de Point Pleasant. Tout ce que j'ai pu lire corrobore les affirmations du cryptozoologue, qui m'a d'ailleurs fait parvenir par courriel une tonne de documentation sur la créature. J'ai parcouru plusieurs de ces pages, j'ai lu et relu des dizaines de descriptions de la bête sans découvrir quoi que ce soit qui puisse m'être utile pour élucider ce mystère. Ma recherche effrénée m'a plongé dans un état proche de la léthargie et, quand la sonnerie de mon téléphone brise le silence de cimetière qui règne chez moi, je frôle la crise d'apoplexie. Je décroche et une série de grésillements s'attaque à mon tympan.

— Félix ? Tu es là ?

À travers la friture, je reconnais la voix de Julien. Même si je sais que c'est parfaitement inutile, je secoue frénétiquement mon téléphone dans l'espoir que la communication devienne meilleure. Mon mouvement réveille Troodie qui saute aussitôt en bas du canapé et s'éloigne en poussant de drôles de miaulements.

— J'essaie de te joindre depuis le début de l'après-midi ! me reproche mon ami en haussant la voix pour couvrir l'interférence. Quand notre appel a été interrompu, tu n'as pas eu envie de me rappeler ?

Je n'ose pas avouer à Julien que cette idée ne m'a même pas traversé l'esprit. Mais où avais-je la tête ?

— J'ai été très occupé.

— Figure-toi que tu vas l'être une bonne partie de la nuit, mon vieux ! Je t'appelle de la part de Rebecca qui, elle non plus, n'arrive pas à te joindre.

— Qu'est-ce qui se passe? Encore des lumières dans le ciel?

— Pas du tout. Il s'agit d'un grave accident qui vient tout juste d'arriver à Wendake…

— Je t'écoute, dis-je en me redressant subitement.

Mon ordinateur glisse de mes genoux, mais je le rattrape avant qu'il percute le sol.

— Tiens-toi bien, Félix, c'est presque irréel: un autobus serait tombé dans la chute Kabir Kouba!

Affolé, je bondis sur mes pieds. Au moment où je l'ai quitté, Olivier a voulu que je lui explique le sens d'une phrase dont je ne savais rien. Je me souviens très bien que le nom de cette chute en faisait partie.

— Combien de morts? dis-je en me dirigeant d'un pas décidé vers la sortie de mon appartement. Allo? Julien?

Une suite ininterrompue de sons stridents s'échappe de mon téléphone et la communication est définitivement rompue.

***

Des dizaines de voitures de police et de véhicules d'urgence sont stationnés devant l'église de Wendake. Leurs gyrophares dispersent des faisceaux lumineux rouges et bleus dans toutes les directions, tandis que de gros projecteurs éclairent le lit de la rivière en contrebas. Des rubans de sécurité ont été tendus pour empêcher les curieux, déjà très nombreux, de s'agglutiner au sommet de la chute. Je tente de m'approcher le plus possible, mais, de là où je me trouve, je ne peux rien voir, sinon un parapet de métal tordu dont les ancrages ont été arrachés du sol. En regardant bien, je remarque également de longues traces de pneus sur la chaussée. La collision a dû être foudroyante pour que le parapet du ponceau cède sous l'impact.

Armé de mon appareil photo, je prends des dizaines de clichés des alentours. Deux nouvelles ambulances, sirènes hurlantes, arrivent en trombe, tandis que des policiers investissent le stationnement du restaurant *La Sagamité* pour rejoindre la plateforme d'observation de la chute. Je m'éloigne du centre névralgique des opérations de secours pour marcher jusqu'à la rue Racine, par laquelle j'accède à un promontoire qui surplombe la chute et le lit de la rivière. Évidemment, des dizaines de personnes s'y tiennent déjà, mais, grâce à l'aura que me confère ma carte de presse, je réussis à me frayer un chemin jusqu'à la rambarde. Le spectacle qui s'offre à moi est tout simplement monstrueux.

La carcasse bosselée d'un autobus du Réseau de transport de la capitale gît dans le bassin naturel sculpté par les eaux au pied de la chute. L'avant du véhicule est complètement immergé dans les eaux bouillonnantes, alors que sa partie arrière, pointée vers le ciel, émerge des flots comme la queue d'un sinistre monstre marin. Ses fenêtres sont toutes cassées et les feux arrière clignotent d'inquiétante façon. Des policiers attachés aux arbres par des courroies de nylon jaunes tentent de s'approcher des abords de la rivière, mais les parois du canyon sont si escarpées qu'ils ne peuvent les atteindre sans risquer de tomber. L'un des secouristes pousse un cri pendant que je mitraille le gouffre à l'aide de mon appareil photo. Les curieux cessent aussitôt de bavarder et tendent l'oreille, dans l'espoir d'entendre ce qui se dit plusieurs mètres plus bas.

— Il y a un survivant! hurle le secouriste en faisant de grands gestes à l'intention de ses collègues, massés sur les berges un peu plus bas.

— C'est presque incroyable, dis-je dans un souffle.

Un branle-bas de combat monumental se déclenche aussitôt. L'agitation qui régnait sur les lieux de l'accident se transforme en effervescence. Toutes les forces policières présentes sur place se mobilisent aussitôt pour tirer l'individu de sa position précaire. Mon téléphone sonne ; comme je le croyais toujours en panne, sa sonnerie me fait sursauter.

— Félix Saint-Clair.

— C'est Violette, annonce dans un chuchotement une voix féminine.

À ma grande surprise, mon téléphone fonctionne parfaitement. Je peux même entendre les chiens de la sorcière qui aboient comme si rien d'autre n'avait d'importance.

— Tout va bien, Violette ?

— Il y a un homme en noir, dehors. Il cogne à ma porte et essaie d'entrer depuis plusieurs minutes.

Mes épaules se crispent aussitôt. Violette est sans doute en danger. Il ne peut s'agir que de l'intrus de la nuit précédente.

— Appelez la police immédiatement.

— J'ai déjà essayé à trois reprises. Quand je compose le 911, la ligne coupe. Je ne sais plus quoi faire.

Elle a le souffle court et la voix tremblante. Je pourrais bien me précipiter chez elle, mais elle habite à plusieurs minutes de route et l'étranger aurait tout le temps de forcer sa porte.

— Est-ce que cet homme me ressemble ?

— Qu'est-ce que c'est que cette question? chuchote-t-elle, énervée. C'est un homme qui fait à peu près votre âge, mais la ressemblance n'est pas frappante. Félix, je ne sais plus quoi faire!

— J'alerte les autorités pour vous. En attendant, cachez-vous et ne bougez pas.

Et je mets fin à la communication.

C'est au milieu d'une marée humaine qui se gave d'un spectacle morbide tout en spéculant sur les causes probables de l'accident que je compose le numéro des urgences. À mon grand soulagement, on me répond aussitôt. Je décline mon identité et demande que des secours soient dépêchés à Sainte-Catherine-de-la-Jacques-Cartier. Quand je précise à la préposée que Violette est incapable de communiquer avec ses services, elle me propose une conférence téléphonique. Je patiente pendant que la femme compose le numéro de la sorcière. Lorsqu'elle me revient, c'est pour m'annoncer qu'elle n'arrive pas à joindre Violette.

— Les secours sont en route vers la résidence de madame Leduc, monsieur Saint-Clair, me confirme calmement la femme. On dirait que le réseau téléphonique du secteur est en panne. Il n'y aucune tonalité quand je compose son numéro, seulement de l'interférence.

Autour de moi, le brouhaha s'amplifie quand on déplace plusieurs véhicules de police pour laisser passer une imposante machine qui recule lentement vers la chute. Il s'agit d'un camion muni d'un bras télescopique au bout duquel est attachée une nacelle. Le sauvetage est amorcé et, dans quelques instants, quelqu'un descendra dans cet enfer d'écume pour tirer le survivant de là. La voix placide de la préposée du 911 me rappelle que Violette est elle aussi dans le pétrin.

— Il y a beaucoup de bruit autour de vous, monsieur Saint-Clair. J'ai du mal à vous entendre.

— J'en suis désolé. Les secours seront sur place dans combien de temps?

— D'ici deux à trois minutes tout au plus. Une voiture de police est déjà en route vers la résidence de madame Leduc.

— Je ne peux pas me rendre chez elle, mais je demande à un ami de la rejoindre le plus vite possible. Il s'agit de Julien Larose.

Je raccroche pour prévenir immédiatement Julien. Évidemment, quand je compose son numéro, rien ne se passe. Mon appareil est à nouveau en panne.

***

— Quelqu'un peut me prêter son téléphone? S'il vous plaît! C'est urgent!

Je crie en fendant la foule pour revenir vers l'église de Wendake, mais les curieux massés au milieu de la rue rendent ma progression difficile. Bien que je répète continuellement ma supplique, personne ne me vient en aide. En avançant lentement dans la masse des curieux, je reconnais un visage familier. Un peu en retrait de la foule qui continue de suivre avec intérêt le déroulement des opérations de sauvetage, j'aperçois Olivier, toujours caché derrière ses lunettes fumées, qui pianote frénétiquement sur son téléphone intelligent. Je profite du fait qu'il ne m'a pas vu pour me diriger vers lui d'un pas décidé.

— Votre téléphone fonctionne? dis-je en me plantant devant lui.

Il lève la tête et, même si je ne vois pas ses yeux, je peux lire sur son visage la surprise que mon arrivée suscite chez lui. Il se braque comme une vipère prête à frapper, mais je ne cille pas devant la menace.

— Prêtez-moi votre téléphone.

Excédé par cette longue journée et très inquiet pour Violette, j'arrache le téléphone des mains du jeune homme alors qu'il s'apprête à le rempocher. Tout en m'éloignant de lui le plus vite possible, je compose le numéro de Julien.

Curieusement, Olivier ne m'interrompt pas pendant que je discute avec mon ami. L'appel dure quelques secondes seulement et, quand je veux remettre l'appareil à son propriétaire, il hésite à le reprendre.

— *271 Kabir Kouba, vingt-sept mourront,* lance Olivier avec dédain. Comment avez-vous fait pour que cet autobus plonge dans la chute ?

— Êtes-vous conscient de l'accusation que vous portez contre moi ?

Olivier prend sa tête entre ses mains et se met à piétiner. Il est toujours extrêmement nerveux et n'arrive visiblement pas à maîtriser les émotions qui l'assaillent.

— C'est l'autobus 271 qui se trouve tout en bas ! me jette-t-il au visage. Les autorités n'ont toujours pas pu faire le décompte des victimes, mais nous savons tous les deux qu'il y en a vingt-sept !

— Olivier, je vous en prie, calmez-vous ! Si nous en discutons, nous parviendrons peut-être à élucider ce mystère.

— Je veux que ça cesse ! s'écrie-t-il sur un ton plaintif. Je ne veux plus rien entendre !

Je m'approche du jeune homme et le prends aux épaules avec une indéniable brusquerie.

Dès que mes mains se resserrent autour de ses bras, je peux sentir ses muscles qui se raidissent.

— Regardez-moi, Olivier ! Je vous en prie, regardez-moi !

Je lui hurle au visage et mon éclat de voix semble le ramener à la réalité. Il relève enfin la tête et pose son regard sur moi.

— Pourriez-vous jurer que je suis l'homme qui vous a rendu visite la nuit dernière ? Pourriez-vous en témoigner hors de tout doute ?

La bouche entrouverte, Olivier retire ses lunettes et plonge ses yeux écarlates dans les miens. Ses épaules s'affaissent et il se met à battre des paupières pour empêcher les larmes de rouler sur ses joues. Je vois bien qu'il est en train de s'effondrer. Décontenancé par sa soudaine fragilité, je ne sais plus trop quoi faire ni comment réagir.

— C'est difficile à dire, répond-il en renâclant. Cet homme vous ressemblait, mais sa peau était beaucoup plus foncée que la vôtre. Il portait aussi des verres fumés et ses cheveux…

— Ce n'était pas moi et vous le savez, dis-je avec le peu d'aplomb qu'il me reste.

— Ce n'était pas vous, admet-il enfin en réprimant un sanglot.

Je le libère et tapote au passage son épaule d'une manière que je souhaite réconfortante.

— Je n'ai pas dormi depuis des jours. Je vous en prie, aidez-moi ! Je ne veux pas qu'il revienne.

12

Olivier avait raison. C'est bel et bien l'autobus 271 qui a fait le terrible plongeon. L'accident vient effectivement de coûter la vie à vingt-sept de ses vingt-huit passagers. On a dû faire appel à une grue pour hisser la carcasse du véhicule hors des eaux de la chute.

Il est presque cinq heures du matin. Je n'ai pas fermé l'œil de la nuit, mais je n'ai pas du tout sommeil. Peu avant minuit, j'ai réussi à convaincre Olivier de rentrer chez lui. Je lui ai suggéré de demander à quelqu'un en qui il a confiance de lui tenir compagnie le reste de la nuit.

C'est à bord de ma voiture de service que je rentre chez moi. Quand je pense à Violette, je suis rongé par l'inquiétude, mais les pannes intermittentes de mon téléphone ne me permettent toujours pas de prendre de ses nouvelles.

Dès que je franchis le seuil de mon appartement, je suis pris d'un violent étourdissement qui m'oblige à m'appuyer contre le mur. Je suis en proie à un tel vertige que j'en viens presque à croire que les pièces de mon logis tournent réellement autour de moi. Mon estomac se tord pour me faire comprendre que je n'ai rien avalé depuis plus de vingt-quatre heures.

J'inspire profondément pour obliger le monde à arrêter de tourner et me dirige vers le réfrigérateur. Il ne contient pas grand-chose, mais j'y trouve tout de même de quoi me sustenter. Je commence par mordre dans une pomme très froide et bois ensuite un grand verre de jus d'orange. Je me sens tout de suite mieux, mais je sais que mon goûter végétarien ne suffira pas. Deux tranches de pain, quelques morceaux de fromage et un peu de jambon se transforment sous mes doigts experts en un délicieux croque-monsieur. Pour faire descendre le tout, je m'offre un onctueux lait au chocolat.

Il est bientôt six heures du matin et le soleil tarde à se lever. J'attrape mon ordinateur portable, passe dans ma chambre et me déshabille négligemment avant de me mettre au lit. Je ne peux pas dormir avant d'avoir eu des nouvelles de Violette et de Julien. C'est grâce à Skype que je réussis à atteindre le portable de mon ami.

— Tout va bien, mais les chiens sont toujours surexcités, m'apprend mon ami. On dirait qu'ils sentent quelque chose.

Malgré la qualité médiocre de la communication, je peux entendre les chiens qui grondent et aboient dans le lointain.

— Et l'homme en noir ?

— Disparu avant que les policiers arrivent sur place ! Violette a donné son signalement à la police. Ils recherchent une grosse voiture américaine de couleur noire.

— Tu es toujours avec elle ?

— Tu penses bien qu'elle n'a pas le goût de rester seule !

— Est-ce que sa ligne téléphonique fonctionne, maintenant ?

— Oui, et apparemment sans le moindre problème. Toutefois, les chaînes télé sont complètement brouillées. Quand on allume, on ne voit que de la neige à l'écran. J'ai appelé le câblodistributeur qui me certifie qu'il n'y a aucune panne de réseau. Félix, si tu veux mon avis, ce qui se passe ici est très étrange.

Il ne croit pas si bien dire. Rien ne tient debout, dans cette affaire.

— Il faut que je dorme un peu, dis-je en me calant au creux de mes oreillers. Vous

devriez en faire autant. On pourrait se retrouver au journal dans quelques heures. Qu'en
dis-tu?

— Ça marche!

Je m'apprête à couper la communication
quand une question me traverse l'esprit. J'hésite un instant avant de la poser à mon ami.

— Crois-tu que le pont de Québec pourrait
s'effondrer une troisième fois?

Au lieu de répondre, Julien me traite de fou
et me somme de me mettre au lit sans délai.

***

C'est avec soulagement que Violette, Julien
et moi nous retrouvons dans les locaux du
Télégraphe de Québec. Les dernières heures
ont été pénibles pour nous et, maintenant,
nous sommes habités par le même désir de
comprendre ce qui se passe.

— Avez-vous parlé aux policiers de la carte
laissée par R. C. Christian?

Violette secoue la tête et sa tignasse incendiaire volette autour de son visage comme des
flammes voraces.

— J'ai cru bon de taire cet épisode, avoue-
t-elle. Ce que Julien a découvert au sujet de ce
personnage et du monument qu'il a fait ériger en Géorgie me fait croire que nous avons

affaire à un mystère que les forces de l'ordre sont incapables de résoudre.

— C'est peut-être mieux ainsi, dis-je en ignorant volontairement l'air suffisant qui illumine le visage de mon ami. Tant que nous n'y voyons pas plus clair, je préfère que nous soyons seuls à mener l'enquête.

— Et ta voiture? demande Julien.

— Le mécanicien m'a laissé un message. Je peux maintenant la récupérer.

— Avez-vous parlé à Jonathan London? veut savoir Violette.

— Oui, nous avons discuté juste avant que je sois appelé sur les lieux de la tragédie. Je vous avoue que ses révélations m'ont secoué.

— C'est lui qui t'a mis dans la tête que le pont de Québec allait s'effondrer pour une troisième fois? s'exclame Julien.

Je raconte à mes comparses ce que je sais des apparitions de l'homme-phalène à Point Pleasant et de l'effondrement du Silver Bridge. Julien se plaît à jouer les sceptiques que rien n'ébranle, mais je vois dans son regard que mon récit le trouble. Violette, quant à elle, ne cache pas l'inquiétude qu'elle ressent.

— Dites-moi, Félix, me demande-t-elle en posant sa main sur mon bras, croyez-vous que cette créature se soit réellement manifestée dans les environs de Wendake?

— Je pourrais difficilement ne pas y croire. Plusieurs témoins, dont un enfant, décrivent exactement la même bête humanoïde ailée, dotée d'effrayants yeux rouges. En outre, London m'a fourni une importante documentation au sujet de l'homme-phalène et ses apparitions s'accompagnent la plupart du temps de phénomènes ayant un rapport avec les ovnis. Or, les lumières que nous avons aperçues n'ont jusqu'à présent trouvé aucune explication, ce qui pourrait nous laisser croire que nous sommes visités par une civilisation extraterrestre.

— Tu te sens fiévreux, Félix ?

Quand Julien est inconfortable avec une situation, il tente de la tourner en dérision et de faire glisser la conversation sur des sujets plus anodins. Sans relever la plaisanterie, je garde obstinément mon regard planté dans celui de Violette. Rendu nerveux par le caractère insolite de notre échange, Julien se met à se dandiner en faisant passer son poids d'une jambe à l'autre.

— J'ai aussi reçu un message vocal d'un certain Indrid Cold…

— Indrid Cold, répète mollement Violette. Je n'ai jamais entendu un nom pareil !

— Sa voix ne ressemble à aucune autre et son message, bien que laconique, avait quelque chose de menaçant. En gros, il me demandait de ne pas parler de ce que j'avais vu, mais je ne suis pas sûr de savoir à quoi il faisait référence.

— Sans doute aux étranges lumières qui étincelaient dans le ciel, au-dessus du toit de cuivre du château d'eau.

— C'est aussi ce que j'ai pensé, mais ça pourrait aussi s'appliquer à l'homme-phalène.

— Je ne serais pas surprise de voir Jonathan London débarquer en ville, laisse tomber Violette en s'assoyant dans le fauteuil de mon bureau.

— Justement, où habite-t-il, celui-là ?

— Dans un petit village en banlieue d'Ottawa dont je ne me rappelle plus le nom.

Je hausse les épaules pour signifier à Violette que cela n'a pas la moindre importance.

— Je ferai une nouvelle fois appel à vos talents d'herboriste, dis-je en repensant au regard d'Olivier.

— Vous êtes souffrant ?

À cet instant, le téléphone de mon bureau sonne. Je vois sur l'écran de l'appareil qu'il s'agit de la réceptionniste, qui désire sans doute me transférer un appel. Je saisis le combiné et, avant même que j'aie le temps de dire un mot, Claudia, surexcitée au maximum, m'apprend que je suis attendu.

— Le survivant de l'autobus 271! s'écrie-t-elle d'une voix rendue suraiguë par l'émotion. Il a lu vos derniers articles et il souhaite s'entretenir avec vous le plus vite possible! Incroyable, n'est-ce pas?

13

Hôpital de l'Enfant-Jésus, Québec, 11 h 17

En proie à un violent choc nerveux, Noah Michaud est allongé dans un lit aux draps bleu poudre, au beau milieu d'une chambre dont les murs blancs rendent le tableau quelque peu virginal. L'unique survivant de la catastrophe de la chute Kabir Kouba est entouré de bouquets de fleurs colorés, de paniers de fruits débordants et de cartes de prompt rétablissement. L'accidenté est un jeune homme aux longs cheveux bruns et à la barbe christique. Il est tourné vers l'unique fenêtre de la chambre, par laquelle entrent de joyeux rayons de soleil.

— Ce que vous racontez dans vos articles est vrai? demande-t-il, même si j'entre dans la chambre sur le bout des pieds.

— Je n'invente jamais rien. J'écris ce que les gens me racontent.

Il semble avoir tout juste vingt ans et je devine à travers les draps qui le recouvrent jusqu'à la taille qu'il est grand et très mince. Malgré mon arrivée, il s'obstine à garder son regard tourné vers la fenêtre. Ses mains aux doigts interminables reposent de chaque côté de ses jambes et la jaquette qu'il porte découvre la partie supérieure de sa poitrine glabre.

— J'ai vu cette créature alors que l'autobus s'engageait sur le boulevard Bastien, dit-il d'une voix monocorde. Elle se tenait sous les grands arbres du parc Jean-Durand. Ce qui m'a fasciné, c'est l'éclat métallique de son regard. Elle avait de grands yeux ronds comme ceux d'une chouette.

— Ils étaient rouges, n'est-ce pas?

— Je n'en suis pas sûr. Peut-être, mais je dirais plutôt violets. Je crois n'avoir vu que les reflets des phares qui chatoyaient à la surface de ses yeux globuleux… Les autres passagers aussi l'ont vue! Ils pointaient l'extérieur en se demandant ce que c'était. Tout s'est passé très vite. L'autobus roulait sur la courbe qui longe le parc quand la créature s'est élancée. Ses ailes immenses battaient l'air. Elle a foncé sur nous et a survolé le toit de l'autobus.

— A-t-elle disparu?

Noah continue à regarder par la fenêtre, mais je suis persuadé qu'il ne voit rien de ce qui se trouve de l'autre côté. Je m'approche de son lit, mais cela l'indiffère. Il est absorbé par ses souvenirs qui lui font perdre le contact avec la réalité.

— Non, la bête était au-dessus de nous! Je pouvais entendre le bruit que faisaient ses ailes en fendant l'air!

Ce qu'il raconte est incroyable, mais je n'ose pas lui poser trop de questions. À mon arrivée à l'hôpital, une infirmière m'a dit que le garçon avait très peu dormi et qu'il se montrait irritable.

— Le feu de circulation à l'intersection du boulevard et de la rue Racine était vert, et l'autobus a gagné de la vitesse, continue-t-il. Ça paraît impossible, je sais, mais la créature nous a dépassés pour revenir subitement vers nous. J'occupais l'un des bancs du fond, mais j'ai pu la voir par le pare-brise du véhicule. Elle fonçait droit sur nous, ses ailes toutes grandes ouvertes de chaque côté de son corps!

— C'est la bête qui a causé l'accident?

— Le chauffeur a voulu l'éviter, l'autobus s'est mis à zigzaguer sur la route. Les passagers criaient tous ensemble. Le bruit était assourdissant. Je me suis accroché au banc qui se trouvait devant moi et j'ai fermé les yeux au moment de l'impact. Il n'y a pas de bruit plus détestable que celui du métal qui se tord!

Je n'ai jamais été victime d'un accident aussi grave, mais je suis capable d'imaginer le vacarme que font la tôle qui se froisse et le verre qui explose.

— Quand le nez de l'autobus a percuté le lit de la rivière, le choc a été terrible ! poursuit Noah. Je crois avoir perdu connaissance, mais pas très longtemps. J'ai rouvert les yeux et c'est là que j'ai vu l'eau qui s'engouffrait dans l'habitacle du véhicule maintenant à la verticale. J'étais toujours accroché à mon siège et, de là où je me trouvais, je pouvais voir les corps désarticulés des autres passagers qui avaient été projetés vers l'avant. L'eau bouillonnante les soulevait et les faisait s'entrechoquer les uns contre les autres. Il faisait très noir, mais j'arrivais à tout voir avec une netteté inouïe. Je ne sais d'ailleurs pas comment c'est possible.

— Avez-vous revu l'homme-phalène, après l'accident ?

Pour la première fois, Noah Michaud tourne la tête vers moi. Ses yeux gris ont quelque chose de très doux.

— C'est comme ça que cette chose s'appelle ? me demande-t-il avec une certaine froideur.

J'acquiesce d'un hochement de tête.

— Non, je ne l'ai pas revu.

Il glisse sa main droite sous le drap de coton qui le recouvre et l'en ressort presque aussitôt.

Il tient un téléphone intelligent au creux de sa main.

— J'ai reçu un appel au moment précis où je songeais que je ne survivrais pas, dit-il dans un souffle.

Je crois d'abord qu'il utilise une image, une métaphore, qu'il va me dire qu'il a entendu des voix, mais il plaque l'appareil contre son oreille pour me faire comprendre qu'il a véritablement reçu un coup de fil alors qu'il se trouvait toujours dans les entrailles de l'autobus.

— Malgré votre fâcheuse position, vous avez pu répondre ?

Noah ignore ma question. Il raconte son histoire comme s'il était en transe.

— À l'autre bout du fil, la voix était froide comme la mort et dure comme le fer ! Je vous jure qu'elle n'avait rien d'humain. J'ai prié mon interlocuteur d'appeler des secours, mais il ne m'a pas écouté. Il ne souhaitait rien, sinon me délivrer son message morbide : *Je suis Indrid Cold*, a-t-il dit. *Vous avez survécu pour transmettre au monde cet avertissement. Nous frapperons tant que la loi ne sera pas respectée. L'humanité souffrira jusqu'à ce que nous ayons été entendus. Maintenant, n'ayez plus peur, Noah, car vous ne mourrez pas cette nuit.*

***

De retour au journal, je me rends directement au bureau de Julien qui travaille au montage du numéro du lendemain. Il abandonne son ordinateur dès qu'il m'aperçoit et bondit sur ses pieds pour venir à ma rencontre. Je lui raconte mon entretien avec Noah sans omettre de faire état de l'avertissement lugubre reçu alors qu'il se trouvait toujours dans la carcasse de l'autobus.

— Il faut trouver ce maudit Indrid Cold! s'exclame-t-il en écrasant son poing droit dans sa paume gauche.

— Et que fais-tu de R. C. Christian?

— Je te jure qu'on lui mettra le grappin dessus, à lui aussi!

— Comment comptes-tu t'y prendre?

Ma question exaspère mon ami cubain qui lève les yeux au ciel avant de se pencher vers moi pour me glisser à l'oreille:

— C'est toi, le cerveau, ici. À toi de me dire comment les attraper!

Je lui décoche un regard noir et tourne les talons pour regagner mon poste. Julien ne s'avoue pas vaincu aussi facilement. Il me suit pas à pas.

— Où est Violette? dis-je en prenant place derrière mon bureau de travail.

— Elle est sortie prendre un café juste à côté.

— Je vais la rejoindre. J'ai besoin du réconfort d'un café très chaud et j'aimerais qu'elle m'accompagne chez Olivier.

— Je peux venir avec vous ?

— Tu n'as rien de mieux à faire ?

Il secoue la tête, l'air espiègle. Je devrais refuser, mais je me dis qu'à trois nous avons bien plus de chance de découvrir la vérité sur les apparitions de l'homme-phalène. Même que l'idée germe en moi de confier une mission spéciale à mon ami.

— Prends un appareil photo avec toi et retrouve-nous au café, dis-je en quittant mon siège pour foncer droit vers la sortie.

***

Avant de me rendre chez Olivier, je dépose Julien devant l'église de Wendake. Il aurait souhaité nous accompagner, Violette et moi, mais je préfère qu'il aille sur les lieux des apparitions de l'homme-phalène et qu'il y recherche des indices capables de nous mettre sur la piste de la créature. Comme je lui ai tout raconté, il connaît les endroits où elle a été aperçue, ainsi que l'histoire de ceux qui l'ont vue. Tout ce qu'il ignore, c'est l'endroit où se trouvait le petit Jacob quand il a été témoin de l'apparition de la bête ailée. Le torse bombé par la fierté de se voir confier une tâche aussi importante, Julien descend de voiture avec un entrain qu'il n'arrive pas à dissimuler et se dirige aussitôt vers la chute Kabir Kouba. Je me doute que, en raison du plongeon de l'autobus, il n'aura pas accès aux plates-formes d'observation, mais il pourra toujours explorer les lieux du drame.

Olivier ressemble à un mort-vivant quand il nous ouvre sa porte. Ses yeux sont toujours aussi irrités ; il a les traits tirés et il porte des vêtements qui mériteraient de rendre visite au lave-linge ; une barbe de plusieurs jours mange son cou et son visage ; il se tient le dos voûté.

— Entrez, marmonne-t-il sans prêter attention à la rouquine qui marche dans mon ombre. Il y a du nouveau.

Il se rend au salon en traînant les pieds sur le parquet. Violette passe devant moi et je referme la porte avant de rejoindre notre hôte.

— Je peux voir vos yeux ? demande mon amie en s'assoyant à côté d'Olivier sur le canapé de cuir.

Le jeune homme est décidément à bout de forces. Il n'oppose aucune résistance quand la sorcière approche ses doigts experts de ses globes oculaires. Elle demeure de marbre pendant tout le temps que dure son examen, mais la grimace qu'elle fait lorsque mon regard croise le sien m'informe mieux que n'importe quel diagnostic.

— Vos yeux sont très malades, Olivier, lui dit-elle sur un ton presque maternel.

— Je m'en moque, crache-t-il. De toute façon, je vais mourir.

— Ne dites pas de bêtises, dis-je avec impatience. On ne meurt pas d'une inflammation aux yeux.

— Il est revenu, ajoute-t-il dans un soudain regain de vitalité.

— L'homme en noir?

— Je ne l'ai pas vu, mais je suis sûr que c'était lui.

Instinctivement, j'ai le réflexe de lui dire qu'il se base sur des présomptions, mais je préfère ne pas le contredire.

— Quand ça?

— Hier soir, après notre rencontre aux abords de la chute.

Il se cale dans le canapé et croise les bras sur sa poitrine. Très inquiète pour sa santé, Violette l'observe avec attention. Quant à moi, je suis toujours debout; je ne me sens pas bien dans cette maison et je suis incapable d'y prendre mes aises.

— J'étais très nerveux et j'avais beaucoup de peine pour tous les gens qui ont perdu la vie dans l'accident, raconte Olivier d'une voix sourde, les yeux mi-clos. Je croyais que de prendre un bain me ferait du bien et m'aiderait à dormir. J'ai rempli la baignoire d'eau très chaude et m'y suis glissé. Comme bien des gens, je ne me sépare jamais de mon téléphone ; je l'avais déposé sur le rebord de la baignoire. J'ai sursauté quand il a sonné et mon mouvement brusque a fait tomber l'appareil dans l'eau. Évidemment, il est fichu. Je n'ai même pas pu voir l'identité du correspondant, mais dites-moi, qui appellerait à une heure pareille ? Il n'était pas encore cinq heures du matin !

— Et alors ?

— J'ai décidé de rester dans l'eau. Je me suis dit que, puisque je n'avais plus de téléphone, l'étranger ne réussirait pas à communiquer avec moi. Quelques minutes plus tard, un bruit étrange s'est échappé de la robinetterie. Je jurerais qu'il provenait des entrailles de la maison ou peut-être des canalisations qui sont enfouies sous terre. Les tuyaux se sont mis à se frapper les uns contre les autres et sans que je l'ouvre, le robinet du bain s'est mis à crachoter des gouttelettes d'eau rouillée. Je me suis redressé pour voir ce qui se passait, mais il n'y avait rien de spécial. Quand j'ai voulu sortir de la baignoire, j'ai été victime d'un grave étourdissement. La pièce tournait si rapidement autour de moi qu'il m'était impossible de croire que je pouvais quitter la salle de bain sans risque de me blesser. Un *nouveau* bruit, épouvantablement strident, celui-là, s'est échappé du robinet. Il ressemblait au son d'un sifflet tout droit sorti de l'enfer! J'ai plaqué mes mains contre mes oreilles et me suis mis à crier.

— Vous vivez seul dans cette grande maison? demande Violette. Personne ne vous a entendu crier?

— Mes parents sont des chercheurs. Ils travaillent la plupart du temps en Ontario et cette maison leur appartient. Je suis seul, ici.

— Continuez, je vous prie, dis-je à l'intention du garçon.

Ses yeux de braise se posent sur moi et cela me met terriblement mal à l'aise. J'espère que Violette réussira à le soigner.

— Quand le sifflement s'est arrêté, j'ai entendu sa voix métallique, poursuit Olivier. Une voix froide, désincarnée, presque robotique. Elle emplissait la pièce et l'écho de la salle de bain se plaisait à répéter ses mots. J'ai hurlé pour ne plus l'entendre, mais la voix était plus forte que la mienne. Elle s'insinuait jusqu'aux tréfonds de mon âme!

— Mais que disait-elle, cette voix, Olivier?

Le garçon rechigne à répéter les paroles qui se sont échappées du robinet. À sa place, j'hésiterais aussi à confier une telle chose à des inconnus. Je craindrais certainement qu'on me prenne pour un fou.

— *Sous le voile de la mariée, trente-trois mourront.*

14

Wendake, 14 h 24

— C'est un avertissement, dis-je en notant les derniers mots que vient de prononcer Olivier. En tous points semblable au premier que vous avez reçu.

— Le voile de la mariée, répète Violette en fourrageant dans son épaisse crinière de feu. Qu'est-ce que ça peut bien être ? Est-il possible qu'une tragédie survienne lors d'un mariage ?

— J'ai bien peur que nous devions tout faire pour le découvrir le plus vite possible.

— Pourquoi dites-vous ça ?

Je n'ai pas le temps de laisser mûrir mes réflexions ; il me faut mettre mes idées en place tout en parlant. J'arpente la pièce comme un loup en cage.

— Dites-moi, Olivier, à quelle heure mon sosie basané est-il venu vous rendre visite la première fois ?

Je sens que les yeux injectés de sang du garçon sont rivés sur moi, mais je préfère regarder dans toutes les directions plutôt que de soutenir son regard.

— Je ne le sais pas exactement, mais je crois que c'était vers deux heures du matin.

— Et l'autobus a foncé dans la chute à vingt et une heures le même jour, soit dix-neuf heures après que l'avertissement vous eut été servi.

— Cela pourrait vouloir dire que cet étrange prophète de malheur se révèle moins d'une journée avant que les catastrophes se produisent, résume Violette.

— Ainsi donc, si nous ne faisons rien, trente-trois personnes pourraient connaître une mort atroce avant vingt-trois heures ce soir, dis-je en me laissant finalement tomber dans un fauteuil d'allure moderne.

Violette a les yeux fermés et elle enroule distraitement une mèche de ses cheveux autour de ses doigts. Plus personne ne parle et Olivier ne tardera pas à s'endormir, à en juger par sa tête qui dodeline. Quand la sonnerie de mon téléphone le fait sursauter, je me reproche de ne pas avoir sélectionné le mode vibration de l'appareil.

— Je suis dans le parc Jean-Durand, m'annonce Julien d'une voix triomphale. Noah

Michaud n'a pas menti! Je me tiens au centre de quelques arbres dont l'écorce présente de grandes taches noires. Certaines de leurs branches sont cassées, mais pendent toujours de chaque côté du tronc principal. Les indices que j'ai sous les yeux sont identiques à ceux que tu as photographiés tout près de la chute Kabir Kouba, à l'endroit d'où l'homme-phalène aurait pris son envol. De là où je me trouve, je vois le boulevard Bastien et l'intersection de la rue Racine. Je me tiens exactement à l'endroit où se trouvait la créature juste avant d'attaquer l'autobus 271.

— Tu as pris des photos?

— Des dizaines, déjà. Crois-tu qu'Annette Bédard me laissera inspecter son jardin?

— Je vais la prévenir de ta visite. Tu en as encore pour longtemps?

— Peut-être une heure. Je te tiens au courant.

Julien raccroche sans même me saluer. Quand je reporte mon attention sur Olivier, je constate que Violette lui tient maintenant la main et que tous les deux se trouvent dans un état proche de la transe. Intrigué, je quitte mon siège et m'approche d'eux sans faire de bruit. Je me demande si Olivier a consenti à être emporté dans un monde parallèle ou si la sorcière a préféré le prendre par surprise.

— Olivier dévale les escaliers au beau milieu de la nuit, susurre-t-elle d'une voix très basse, comme à travers sa transe. Le carillon de la porte d'entrée sonne sans arrêt. Il allume la lumière extérieure qui se trouve sous le porche et jette un coup d'œil par la fenêtre avant d'ouvrir. Il croit vous reconnaître, Félix, et ouvre la porte. L'homme qui se tient devant lui est entièrement vêtu de noir. Il porte un complet, une chemise, un pantalon et des gants de cuir de la même couleur. Il transporte une mallette également noire de laquelle s'échappe une espèce de fil électrique dont les fibres métalliques sont tordues. Des verres fumés cachent ses yeux, alors que ses cheveux noirs, gommés de gel et lissés sur son crâne, sont coiffés à la mode des années cinquante. Il ne sourit pas et demeure parfaitement immobile sur le pas de la porte.

Soudain, Violette se raidit et sa tête bascule légèrement vers l'arrière. Sa voix s'assombrit et devient rauque, comme si elle appartenait à quelqu'un d'autre.

— *Nous vous observons*, dit-elle en prenant la voix de l'homme en noir.

Son ton redevient plus doux, sans être féminin pour autant. C'est la voix d'Olivier.

— Qu'est-ce que vous me voulez, monsieur

Saint-Clair? Il se fait tard et je n'ai pas beaucoup dormi depuis…

À nouveau, la voix inhumaine surgit du gosier de la rouquine.

— *Nos lois doivent être respectées. Que faites-vous de la reproduction et de la diversité de votre espèce?*

Un silence de plusieurs secondes amplifie le malaise que j'éprouve à entendre cette conversation. Je n'ose imaginer celui qu'a dû ressentir le jeune homme devant ce visiteur.

— *Nous vous châtierons tant que vous n'obéirez pas à nos commandements. Vous devez être l'un de nos messagers, Olivier.*

Violette a un mouvement de recul, comme si l'étranger essayait de l'approcher.

— Partez!

— *Vous êtes un cancer pour la Terre,* accuse l'homme de sa voix saccadée. *Vous devez être punis. Kabir Kouba 271, vingt-sept mourront!*

La sorcière se détend enfin et retrouve une position normale. Elle redresse la tête et se racle la gorge.

— L'homme tourne les talons et s'éloigne d'un pas raide jusqu'à disparaître au coin de la rue, dit-elle en rouvrant lentement les yeux.

Elle libère aussitôt la main d'Olivier, qui émerge des brumes dans lesquelles il a été plongé en prenant une bruyante inspiration comme le ferait un noyé qu'on sort de l'eau in extremis. Le regard effrayé qu'il décoche à la sorcière trahit l'émotion qui le submerge.

— Violette possède un don un peu spécial, dis-je pour le rassurer. J'en ai moi-même fait l'expérience à quelques reprises.

— Maintenant que nous comprenons mieux ce qui vous est arrivé, il est grand temps de prendre soin de vos pauvres yeux ! affirme la sorcière en souriant.

***

Il est manifeste que Violette craint de rentrer chez elle, mais elle puise son courage dans la détresse du jeune homme qu'elle entend soigner. Après lui avoir conseillé de prendre quelques affaires, elle le guide jusqu'à sa voiture à lui, se glisse derrière le volant et quitte Wendake pour regagner sa maison en bordure de la rivière Jacques-Cartier.

Sous le voile de la mariée, trente-trois mourront.

Ce sinistre avertissement hante mes pensées et il semble qu'un écho détestable se plaise à me le répéter à l'infini. Je me tiens debout devant la maison où habite Olivier et je m'interroge sur l'origine de la voix entendue par le jeune homme alors qu'il se trouvait dans sa baignoire.

Le mystérieux Indrid Cold est-il réel? J'en douterais si je n'avais pas moi-même reçu un message de cet étranger. À moins bien sûr que nous ne soyons tous les deux victimes d'un horrible et macabre canular, Olivier et moi.

Tandis que je m'éloigne de la maison pour regagner la voiture de service, d'autres questions me traversent l'esprit. Qui a fait sonner le téléphone de Noah Michaud alors qu'il se trouvait toujours dans la carcasse de l'autobus? Comment cette personne a-t-elle pu savoir que Noah était à bord et qu'il était l'unique survivant? Les coïncidences sont trop nombreuses pour être attribuées au hasard.

La gravité de la menace qui plane sur trente-trois personnes me force à chasser ces questionnements pour tenter d'élucider l'énigme d'Indrid Cold. Malgré le soleil éblouissant de ce jour de fin novembre, le froid est mordant et je commence à grelotter. Les mains calées dans les poches de mon blouson et les sourcils froncés, je décide qu'il est temps de retrouver mon ami. Je lui adresse un court texto, après quoi je me mets en route.

Julien m'attend devant la maison d'Annette Bédard. Il a le visage grave. Ses doigts sont crispés autour de l'appareil photo qu'il transporte et il se mordille nerveusement la lèvre inférieure.

— Tu fais une drôle de tête! dis-je en redémarrant. Qu'est-ce qui se passe?

— J'ai entendu quelque chose.

— Où ça?

— Dans le boisé qui se trouve derrière ces maisons.

Il fixe ses genoux et secoue machinalement la tête comme s'il essayait de se raisonner.

— Qu'est-ce que tu as entendu?

— Je photographiais les arbres abîmés derrière la maison de madame Bédard quand j'ai perçu un bruit sourd, m'explique-t-il. C'était une sorte de craquement, très sec, comme si une branche creuse se brisait. J'ai fait volte-face, mais je n'ai rien remarqué. Comme je craignais de me retrouver face à face avec un animal, je me suis mis à tourner sur moi-même pour surveiller toutes les directions. Ce boisé est plutôt dense et, même pendant une journée aussi ensoleillée, il demeure très sombre. Je suis resté silencieux, j'ai retenu ma respiration pour mieux entendre et c'est là qu'une série de nouveaux craquements se sont fait entendre. Je ne voyais rien, mais je ne pouvais plus douter que quelque chose approchait.

— Qu'est-ce que c'était?

— Je n'en sais rien, mais c'était sans doute énorme! s'écrie Julien. La chose progressait en suivant le ruisseau qui coule entre les arbres et brisait tout sur son passage. Ses pieds ou ses pattes plongeaient dans la terre boueuse pour faire crisser les cailloux et gémir les brindilles. Les branches des conifères fouettaient l'air et leurs sifflements se rapprochaient inéluctablement. Je te le dis, Félix, cette chose invisible fonçait tout droit sur moi !

Il se tait un instant en adoptant un air contrit et poursuit :

— J'aurais voulu voir de quoi il s'agissait, mais la terreur a été la plus forte. J'ai pris mes jambes à mon cou ! Je me suis faufilé entre les arbres, j'ai sauté par-dessus le ruisselet et filé vers la clôture qui sépare le boisé de la cour arrière de madame Bédard. J'ai eu du mal à franchir l'obstacle, mais j'étais prêt à risquer de me rompre le cou pour me mettre hors de portée de cette chose. Je suis tombé à la renverse sur le gazon et j'ai roulé dans l'herbe, mais ça ne m'a pas arrêté. J'ai bondi sur mes pieds et couru jusqu'à la rue.

— Est-ce que la chose te poursuivait toujours ?

— Je jurerais qu'elle s'approchait de moi, mais je ne me suis retourné qu'une seule fois. Tout ça s'est passé si vite que je ne suis pas certain de ce que j'ai vu à ce moment-là.

— Quoi donc ?

Il hésite avant de répondre à ma question.

Comme tous ceux qui ont entraperçu l'homme-phalène, il craint qu'on ne le croie pas.

— Ça ressemblait à une aile immense, noire comme le charbon et surmontée par un gigantesque crochet luisant.

La respiration de mon ami est saccadée et il a du mal à déglutir.

— Un peu comme le pouce d'une chauve-souris !

15

De retour au journal, Julien passe plusieurs minutes à étudier et disséquer ses clichés. Pendant ce temps, j'amorce mes recherches au sujet du nouvel avertissement d'Indrid Cold.

Quand je consulte les archives du *Télégraphe* en utilisant comme mot-clé l'expression *voile de la mariée*, je déniche évidemment quelques articles qui traitent du mariage de personnalités importantes de la région, mais rien qui soit d'un véritable intérêt. Je consulte ensuite le fil de presse pour savoir si un grand mariage est prévu dans les prochaines heures. Rien là non plus. Insatisfait, j'ouvre mon navigateur web et m'en remets à l'Internet pour me fournir une bonne piste.

Sous le voile de la mariée, trente-trois mourront.

Je tape les mots rapportés par Olivier dans le moteur de recherche, mais cela ne donne pas grand-chose, sinon une panoplie de sites à caractère religieux. À nouveau et même si je crains de tomber sur d'insipides histoires de noces, je ne conserve que les mots *voile de la mariée*. Quand Google m'apprend qu'il s'agit du nom de plusieurs chutes un peu partout dans le monde, je retiens difficilement le cri de stupeur qui me monte à la gorge. Je précise ma recherche en y ajoutant tout simplement *Québec*. Les résultats obtenus sont au-delà de mes attentes.

— La chute Montmorency… dis-je en cliquant sur l'un des hyperliens.

Sans quitter l'écran des yeux, j'attrape le combiné du téléphone pour demander à Julien de me rejoindre à mon bureau. Fidèle à son habitude, il rapplique en quelques secondes et se penche avec une infinie curiosité par-dessus mon épaule.

— Tu tiens quelque chose ?

— Notre oiseau de malheur aime bien les cours d'eau, je pense, dis-je dans un souffle. En particulier les cascades !

En quelques clics, nous apprenons qu'une chute beaucoup plus petite, appelée Voile de la mariée, coule non loin de la chute principale, là où la rivière Montmorency se jette dans le fleuve. D'après l'article, ce courageux filet d'eau tire son nom d'une triste légende qui remonte à l'époque de la Nouvelle-France.

Mathilde, une jeune habitante de la Côte-de-Beaupré, est follement amoureuse de Louis. Fiancée depuis peu, elle se prépare à épouser l'homme qu'elle aime en confectionnant elle-même sa robe de mariée. Mais voilà que les Anglais, qui menacent depuis un moment de prendre la ville, débarquent au pied de la chute Montmorency. On ordonne aux femmes et aux enfants de se cacher dans la forêt pendant que les hommes, aux côtés des soldats français, se dressent contre l'envahisseur.

La bataille dure plusieurs jours et Mathilde, rongée par l'angoisse, a du mal à rester tapie dans la forêt. Quand enfin on annonce que les Français sont victorieux, la jeune fiancée rentre au village, rêvant de retrouver les bras de son amoureux. Les hommes reviennent un à un et Mathilde voit s'éclairer les visages de celles qui retrouvent leur père, leurs frères ou leur mari. Le cœur serré, elle comprend alors que son amour s'est envolé. Louis est mort au combat.

La nuit venue, alors que la pleine lune éclaire un ciel d'encre, Mathilde se rend au sommet de la chute Montmorency, vêtue de sa robe de mariée. Accablée de douleur, elle se jette dans les eaux tumultueuses en criant une dernière fois le nom de son bien-aimé.

Le lendemain, à la gauche de la chute, une nouvelle cascade est apparue. Ce sont les gens du village qui la nomment, en l'honneur de leur sœur disparue, le Voile de la mariée. Depuis ce jour, on raconte que, par temps brumeux, on peut apercevoir une jolie dame blanche qui erre sur les berges du bassin, au pied de la chute. Elle pleure toujours son amour perdu.

— Tu penses que la chute Montmorency sera le théâtre d'un nouveau drame? me demande Julien dans un murmure.

— Si on en croit les paroles d'Indrid Cold, ça ne fait aucun doute!

— Mais l'homme-phalène n'est pas apparu dans les parages.

— Nous n'en savons rien, dis-je en quittant mon siège. L'homme-phalène n'existe pas seulement quand des témoins sont là pour le voir!

— Qu'est-ce qu'on doit faire, maintenant?

— Il faut se rendre sur place, mais, avant, je dois parler à Jonathan London.

Je sors mon téléphone de ma poche et pousse un soupir de soulagement quand je constate qu'il fonctionne normalement. Grâce à Skype, je réussis à entrer en communication avec le cryptozoologue.

— J'ai vu des images du drame aux

actualités, m'annonce l'homme aux cheveux argentés.

— J'ai de bonnes raisons de croire que l'homme-phalène frappera de nouveau dans les prochaines heures.

Mon correspondant demeure silencieux. Je n'hésite pas à lui exposer ma théorie.

— Vous m'avez déjà dit que cette créature a provoqué l'écrasement d'un pont en Virginie-Occidentale…

— Je ne vous ai jamais dit une chose pareille, intervient Jonathan d'un ton sec.

Perplexe, je redresse la tête comme si cela m'aidait à mieux entendre.

— Je ne comprends pas, dis-je froidement.

— Je vous ai dit que l'homme-phalène avait été aperçu à Point Pleasant, mais je ne l'ai jamais accusé d'avoir causé la mort des victimes de l'effondrement du Silver Bridge !

— Vous jouez sur les mots, monsieur London.

— Pas du tout.

Je n'arrive pas à retenir le soupir exaspéré que ce malentendu fait naître. J'essaie d'éviter à trente-trois personnes de connaître une mort atroce et, pendant ce temps, un crypto-zoologue se plaît à faire de la rhétorique.

— Que voulez-vous savoir au juste, monsieur Saint-Clair ?

— L'homme-phalène se manifeste-t-il toujours auprès d'un cours d'eau ?

— Rien ne permet de le croire.

— En êtes-vous sûr ?

— Tout à fait. Sachez que des témoins affirment l'avoir aperçu à New York en septembre 2001, au moment de l'écrasement des tours jumelles. Manhattan est peut-être une île, mais rien ne permet de faire le rapprochement entre son apparition et la proximité de l'eau.

— Je vois…

London me demande de lui expliquer mon raisonnement et je prends quelques minutes pour lui faire part de mes craintes. Le crypto-zoologue m'écoute attentivement et m'encourage à poursuivre mon enquête ; mais il me met en garde contre mes propres paradigmes.

— Les apparitions de l'homme-phalène rendent les gens extrêmement nerveux, affirme-t-il. Son allure repoussante, sa grande taille et ses yeux écarlates font en sorte que nous le prenons pour une bête infernale capable des pires atrocités. Pour tout vous dire, monsieur Saint-Clair, mes recherches tendent à démontrer qu'il n'a rien d'une créature sanguinaire.

— Vous voulez dire que…

— Je crois que vous avez compris ce que j'essaie de vous dire. L'homme-phalène n'est pas la cause des drames qui surviennent quand il se manifeste. Au contraire, je pense qu'il apparaît pour protéger l'homme contre un ennemi beaucoup plus redoutable…

16

Québec, 16 h 59

Nous quittons le centre-ville de Québec en même temps qu'une pléiade de travailleurs pour qui c'est le moment de retrouver la banlieue. Julien prend le volant de ma voiture, sachant que je deviens terriblement impatient lorsque je dois conduire en pleine heure de pointe. Pris au centre d'un bouchon de circulation monstre, nous avançons à pas de tortue et je tente de tuer le temps en pianotant sur mon téléphone intelligent.

— Écoute ça! dis-je en consultant un article sur la rivière Montmorency et sa cascade. Le premier pont reliant Beauport à Boischatel a été construit en 1812 au-dessus du sommet de la chute. Il a été remplacé en 1856 par l'un des premiers ponts suspendus en Amérique.

— Fascinant, grommelle Julien pour qui l'histoire n'a jamais été une passion.

— Attends, c'est là que ça devient intéressant! Le 30 avril 1856, cinq jours seulement après son inauguration, le pont de la chute s'est effondré, entraînant trois personnes dans la mort.

— Est-ce que tu penses que…

— Le pont pourrait s'effondrer à nouveau? Ce n'est pas impossible! C'est en tout cas ce qui s'est produit en 1967 à Point Pleasant, où l'homme-phalène a été aperçu à plusieurs reprises.

— Mais c'est épouvantable! s'exclame Julien en donnant quelques coups de klaxon impérieux. Il faut empêcher ce désastre!

— On ne peut rien faire pour retenir le pont s'il est prêt à céder, mais on peut empêcher des gens de s'y promener!

Les feux de centaines de voitures immobilisées sur la route s'étirent à l'infini devant nous. Leurs clignotements écarlates me rappellent les yeux de l'étrange créature que nous traquons. À la radio, un animateur faussement enjoué engage ses auditeurs à la patience après avoir annoncé que toutes les artères principales de la ville sont paralysées. Je suis terriblement nerveux et, si je ne me retenais pas, je descendrais de la voiture pour courir sur l'accotement.

— Quand nous serons là-bas, que comptes-tu faire? me demande Julien.

Si je fais mine de ne pas avoir entendu la question de mon ami, c'est que je ne sais absolument pas quoi lui répondre. Je pourrais me rendre aux abords du pont et hurler aux piétons de quitter l'endroit, mais on aurait tôt fait de me prendre pour un cinglé et de me faire boucler. Les responsables du parc me croiraient-ils si je leur annonçais que le pont menace de s'effondrer ? Devrais-je contacter immédiatement les policiers ? Les paroles de Julien font écho à mes pensées.

— On devrait peut-être appeler la police et faire évacuer l'endroit, suggère-t-il.

— Sous quel prétexte ?

Julien ne répond pas. Il sait aussi bien que moi que nous ne pouvons pas invoquer l'apparition d'une créature à mi-chemin entre l'homme et le papillon pour alerter les autorités.

— Tu sais à quoi je pense, n'est-ce pas ?

Bien qu'il ne devrait pas quitter la route des yeux, Julien me jette de fréquentes œillades. Je connais le plan qui germe dans son esprit, j'en suis persuadé.

— Tu voudrais que j'invente quelque chose… dis-je entre mes dents serrées.

Excédé par la lenteur du trafic, il frappe rageusement le volant et glapit une volée de jurons bien sentis. À peine calmé, il éteint la radio et se tourne vers moi. Grâce au ciel, la voiture est à présent immobile.

— Un petit mensonge pourrait sauver toutes ces vies, plaide-t-il.

Je n'ai pas le temps de réfléchir. Trop de gens ont déjà perdu la vie.

— Je n'aime pas beaucoup ça, mais je n'ai pas vraiment le choix.

Prisonnier de l'habitacle parfaitement silencieux de ma voiture hybride, je compose le 911. Après une brève hésitation, je décline mon identité à la femme qui me répond. J'affirme d'une voix parfaitement assurée que j'ai reçu un appel anonyme m'informant qu'une bombe a été placée sous le pont de la chute Montmorency.

***

Cinq voitures de police se trouvent déjà sur l'aire de stationnement du manoir Montmorency quand nous y arrivons enfin, plusieurs minutes plus tard. Leurs gyrophares donnent aux alentours des allures de boîte de nuit, mais l'heure n'est pas à la fête. Des policiers sont dispersés dans tous les coins et passent le parc de la chute au peigne fin. En constatant l'ampleur de l'opération policière que j'ai provoquée, je me sens affreusement mal à l'aise.

— Je suis Félix Saint-Clair, dis-je en m'approchant d'un constable qui bloque l'entrée principale du manoir. C'est moi qui ai donné l'alerte.

— Vous êtes le journaliste ? dit le policier en fronçant les sourcils. C'est bon, suivez-moi, le patron veut vous dire un mot.

Je ne suis pas vraiment surpris qu'on veuille prendre ma déposition, mais je m'étonne que le chef de cette importante escouade lui-même désire m'entendre. Julien et moi échangeons un regard coupable en emboîtant le pas au policier. L'homme nous précède à l'intérieur du manoir, dont le hall spectaculaire est baigné d'une lumière tamisée qui ne convient guère à la gravité du moment. Plusieurs policiers armés de radios et de téléphones mobiles se trouvent dans une salle de réception adjacente. Au centre de cette improbable ruche se tient un homme vêtu d'un long manteau de laine grise. Malgré son vêtement hivernal, je peux deviner sa maigreur et les os saillants de ses épaules. Ses cheveux châtains et la rigidité de sa posture me renseignent mieux que n'importe quelle carte d'identité. Je me trouve à nouveau en présence de l'inspecteur Constantin Lorrain, l'homme qui m'a interrogé pendant une nuit entière après que j'eus retrouvé le garçonnet perdu sur le mont Wright.

— Monsieur Saint-Clair! dit-il simplement en se tournant lentement vers moi. Quel heureux hasard!

Son ton morne et son visage parfaitement impassible détonnent avec l'exclamation qu'il vient de prononcer. Son visage osseux, ses joues creuses et son cou très fin pourraient lui donner un air malade, mais il ressemble plutôt à un oisillon sans plumes que sa mère aurait oublié de nourrir.

— Approchez, je vous prie, dit-il en congédiant d'un geste négligent les deux policiers avec qui il s'entretenait juste avant notre arrivée.

Julien et moi avançons jusqu'au centre de la pièce. La politesse voudrait que nous nous serrions la main, mais l'heure est si grave que l'inspecteur en oublie les civilités.

— Qui a communiqué avec vous pour donner l'alerte? me demande-t-il.

— J'ai reçu un appel anonyme, dis-je avec, il me semble, très peu d'aplomb.

— Où ça? Au journal?

— En effet.

— Vers quelle heure?

— Quelques minutes seulement avant que je communique avec les policiers. Aux environs de dix-sept heures.

— Vous avez noté le numéro de l'appelant?

— Non. Il s'agissait d'un numéro confidentiel.

— Que vous a dit exactement cette personne?

L'étau se resserre. Habitué à mener l'enquête et doté d'un flair sans pareil, Constantin Lorrain ne gobe pas mon histoire, selon l'impression que j'ai. J'essaie d'inventer une conversation qui tient debout, mais les prunelles brunes de l'inspecteur, rivées sur moi, me rendent nerveux et je m'embrouille rapidement dans ma propre fiction.

— Cessez donc ce petit jeu, monsieur Saint-Clair, et dites-moi pourquoi vous avez cru bon de faire évacuer les alentours du sommet de cette chute.

Je tourne un regard oblique vers Julien qui, malgré sa pigmentation tropicale, me semble soudain très pâle. Je ne sais trop si l'inspecteur Lorrain saura à nouveau faire preuve d'ouverture d'esprit, mais je prends le risque, sous le sceau de la confidence, de lui faire un résumé de l'histoire qui nous occupe, en me sentant rougir jusqu'à la racine des cheveux.

— La catastrophe de la chute Kabir Kouba et les avertissements que nous avons reçus nous portent à croire qu'une autre tragédie ayant pour théâtre une cascade surviendra dans les prochaines heures. C'est pour cette raison que nous avons donné cette fausse alerte à la bombe.

L'inspecteur Lorrain semble à la fois soulagé et choqué par mon aveu.

— Vous insinuez donc que le plongeon de l'autobus dans la rivière Saint-Charles n'a rien d'accidentel, soulève l'inspecteur en fronçant les sourcils. S'agirait-il de terrorisme ?

— Pas au sens où vous l'entendez. Je crois que c'est un peu plus compliqué que ça. Noah Michaud, l'unique survivant de cette tragédie, a reçu un appel dudit Indrid Cold alors qu'il se trouvait toujours à l'intérieur de l'autobus.

— Le pont qui surplombe la chute Montmorency est piétonnier et, par un jour de novembre aussi froid, il serait surprenant qu'on y retrouve trente-trois personnes. À moins que, détestable coup du hasard, votre mensonge s'avère juste et qu'il y ait véritablement une bombe cachée quelque part.

— Pour tout vous dire, inspecteur, j'en doute fort !

— Moi de même, monsieur Saint-Clair, ronchonne l'enquêteur. Mes hommes ont sécurisé le pont, ses alentours et même le manoir dans lequel nous nous trouvons.

Autour de nous, les policiers vont et viennent comme un véritable essaim d'abeilles et le personnel de l'établissement, à peine rassuré, commence à réintégrer les lieux. Constantin Lorrain nous ordonne d'attendre gentiment dans un coin de la pièce pendant qu'il met fin à l'opération policière.

— Je n'aime pas ça, dis-je à Julien, tandis que l'inspecteur rassemble autour de lui ses lieutenants. J'ai le mauvais pressentiment que ce sera quand tous ces policiers s'en iront que le pire arrivera !

— Tu as peut-être raison, mais je pense que nous avons maintenant un autre problème, rétorque Julien en désignant l'inspecteur d'un mouvement du menton.

Mes épaules s'affaissent quand je comprends que Constantin Lorrain apprend à ses collègues que nous sommes derrière le canular qui vient de monopoliser des dizaines d'hommes. Les regards assassins dont on nous gratifie me portent à croire que nous ne nous en sortirons pas sans conséquence.

De là où je me trouve, je peux laisser errer mon regard du côté de la salle à manger dont les immenses fenêtres s'ouvrent sur la chute. Il fait noir et de gros projecteurs illuminent la majestueuse cascade. Le pont suspendu couronne fièrement les eaux impétueuses qui se jettent avec témérité en bas de la falaise pour rejoindre le fleuve, quatre-vingt-trois mètres plus bas. Bientôt, le froid de l'hiver fera naître au pied de la chute le pain de sucre, un immense monticule de vapeur cristallisée. Au loin, perdue dans la noirceur de l'horizon nocturne, on devine l'île d'Orléans, déjà endormie au milieu du fleuve. L'endroit est d'une beauté à couper le souffle et j'essaie de me convaincre que des drames n'arrivent jamais en des lieux aussi spectaculaires.

— Je n'arrive pas à décider ce que je vais faire de vous, dit Constantin Lorrain en revenant vers nous. Une fausse alerte à la bombe, c'est un crime passible d'emprisonnement.

— Nous avons voulu sauver des gens! s'emporte Julien en s'avançant, menaçant, vers le maigrelet inspecteur.

— J'aimerais bien vous croire, mais je n'en ai aucune preuve.

L'inspecteur contourne la masse musculeuse que constitue le corps de Julien pour pénétrer dans la salle à manger déserte. Piteux, nous lui emboîtons le pas comme des enfants punis qui essaient de se faire pardonner.

— Je crois vous connaître suffisamment, monsieur Saint-Clair, pour savoir que vous êtes un homme de bonne foi, dit Constantin en se plantant devant les baies vitrées. Ce qui m'irrite, c'est que vous trempiez une fois de plus dans une histoire abracadabrante. C'est à croire que vous y prenez goût!

L'inspecteur Lorrain n'a pas oublié les événements survenus à Stoneham. Il se rappelle avec aigreur leur caractère insolite, même si, en fin de compte, il m'a apporté son aide.

Julien et moi nous tenons dans son ombre. Un silence sépulcral règne dans la vaste salle à manger au décor suranné. L'atmosphère y est aussi pesante qu'une chape de plomb. J'essaie de me faire violence et de chasser les étranges sentiments qui m'étreignent, mais je demeure persuadé qu'une tragédie va survenir. Un frisson me parcourt l'échine quand l'inspecteur se raidit et s'approche encore de la fenêtre. Sa main aux veines saillantes s'appuie contre la vitre, tandis que l'autre fouille frénétiquement dans la poche de son manteau. Il dégaine rapidement un téléphone intelligent qu'il utilise comme caméra vidéo.

— Vous avez vu ça? dit-il dans un souffle.

Mon regard n'a pas quitté la silhouette longiligne de l'inspecteur; je n'ai donc rien remarqué d'anormal. Même s'il se tient derrière le policier, Julien, pour toute réponse, secoue la tête.

— Là-bas! s'exclame l'inspecteur Lorrain. Quelque chose vient de se poser sur la structure du pont!

C'est la première fois que pointe dans la voix de l'homme quelque chose qu'on pourrait confondre avec une émotion. Je m'avance pour mieux voir, pendant que Julien court vers les interrupteurs et éteint les lustres de la salle à manger. Aussitôt, leurs reflets dans les carreaux disparaissent et on peut mieux distinguer ce qui se passe au loin.

Une forme sombre aux contours vaguement humains est accrochée à un pilier de pierres situé de l'autre côté de la chute. Tapie dans l'ombre, elle est presque immobile, mais le chatoiement de sa peau trahit sa présence. Elle se tient au sommet de la structure, là d'où s'élancent les puissants câbles d'acier qui soutiennent le pont. Je plisse les yeux pour mieux distinguer ce qui s'y trouve, mais c'est un mouvement que je perçois sur ma droite qui retient tout à coup mon attention.

— Le téléphérique ! dis-je en voyant une cabine quitter la gare avale, tout en bas, au niveau du fleuve.

— Je viens d'autoriser sa remise en service, m'apprend Constantin Lorrain sans quitter le pont suspendu du regard. N'ayez crainte, mes hommes ont inspecté ses installations et il est parfaitement sécuritaire.

Julien et moi nous élançons vers l'extérieur du manoir en bousculant au passage deux garçons de table. Quelques voitures de police sont toujours sur place, mais la plupart des équipes ont quitté les lieux. Nous courons jusqu'à la station où doit s'arrêter le téléphérique à la fin de son ascension. Depuis la rampe de bois qui couronne le promontoire du manoir Montmorency, mon regard passe de la cabine qui balance aux immenses tours d'acier auxquelles sont attachés les câbles qui la supportent. Ma nervosité augmente d'un cran quand Julien pousse un cri et pointe son index en direction du pont suspendu. Curieux, des clients qui s'apprêtent à pénétrer dans le manoir s'arrêtent et fouillent l'horizon du regard.

— Qu'est-ce que c'est? demande une femme en regardant dans la même direction. Est-ce que c'est un oiseau?

La créature aperçue par l'inspecteur Lorrain, toujours accrochée au pilier de pierres le plus éloigné, déploie ses ailes immenses. Les curieux s'agglutinent rapidement autour de nous, si bien que nous sommes une dizaine de personnes à apercevoir la bête quand elle est sur le point de s'envoler.

— C'est l'homme-phalène… dis-je dans un murmure.

Julien et moi pénétrons dans la station du téléphérique et commençons à hurler à nous en rompre les cordes vocales. Des policiers accourent dans notre direction, quelques passants inquiets se reculent, tandis que les autres photographient la scène.

— Arrêtez le téléphérique! Faites le redescendre!

Terrorisé par nos cris et sans doute à peine remis du choc de l'alerte à la bombe, l'opérateur du téléphérique se fige momentanément. Quelques secondes s'écoulent avant qu'il enfonce un gros bouton rouge au-dessus duquel est inscrit le mot *urgence*.

À mi-chemin de sa course, la cabine s'arrête brusquement. Alertés par nos cris, Constantin Lorrain et les autres policiers nous rejoignent. Un bruit qui ressemble à celui d'une explosion nous fait tous taire d'un seul coup.

— Qu'est-ce que c'était? dis-je en regardant dans toutes les directions.

L'opérateur du téléphérique semble confus. Sur son tableau de bord, de nombreuses lumières se mettent à clignoter.

— La cabine doit redescendre! dis-je sur un ton impératif. Tout de suite!

Julien et moi quittons la station dans l'espoir de repérer la source de la détonation. Un son qui ressemble à celui du métal qui se tord nous parvient. Il s'amplifie de seconde en seconde et devient franchement insupportable. D'immenses boulons cèdent, les câbles qui soutiennent la cabine se détendent brusquement et finissent par se détacher. Quand la cabine du téléphérique s'écrase dans le bassin au pied de la cascade, l'homme-phalène quitte son perchoir, plonge vers la chute et disparaît en fonçant vers les eaux noires du fleuve.

17

Parc de la chute Montmorency, 1 h 13

La mine sombre, Constantin Lorrain s'approche de moi comme un vautour se jette sur sa proie. Il m'attrape par le bras et m'entraîne à l'écart des équipes de secours qui viennent de terminer leur sinistre besogne. Pétrifié par la scène atroce à laquelle il assiste, Julien n'essaie même pas de nous suivre.

— Trente-deux corps ont été repêchés, ronchonne l'inspecteur en me libérant de ses serres. Tous des clients d'une grande entreprise québécoise qui avait nolisé le téléphérique et réservé une salle au manoir pour une réception.

— Le message annonçait trente-trois victimes, dis-je avec une infinie tristesse dans la voix. Êtes-vous sûr d'avoir repêché tous les corps?

L'air imperturbable, Constantin hoche la tête. Je n'arrive pas à comprendre comment il peut afficher un pareil flegme devant un drame d'une telle gravité. En plus, il devrait être piteux, lui qui a autorisé la remise en marche du téléphérique. Mais peut-être que ce sont là des émotions qu'il cache aussi bien que les autres...

— Je veux tout savoir sur cet Indrid Cold, tonne-t-il dans un soudain éclat de colère. Je veux connaître chaque mot qu'il a prononcé, je veux savoir à qui il a parlé et à quelle heure il s'est manifesté ! Je veux qu'on me dise qui il est, ce qu'il fait et ce qu'il mange, vous m'entendez ?

— Je vous ai déjà dit tout ce que je sais, inspecteur.

C'est la vérité. En face d'événements aussi tragiques, il n'est plus question de cacher quoi que ce soit à la police. J'ai communiqué tout ce que je sais à l'inspecteur et maintenant je me demande comment nous nous y prendrons pour empêcher que d'autres tragédies surviennent.

— Cette créature que vous décrivez comme un homme doté des ailes d'un papillon, c'est tout à fait farfelu !

Mon téléphone sonne et je décide de répondre malgré l'humeur massacrante de l'inspecteur. La communication est très mauvaise, la ligne grésille sans discontinuer, mais je reconnais tout de même la voix monocorde qui me parvient de l'autre bout du fil.

— C'est Rebecca.

— Qu'est-ce que je peux faire pour vous ?

— Des lumières ont été aperçues dans le ciel de Wendake.

Je ne réussis pas à retenir le soupir d'exaspération qui me monte à la bouche en même temps que la moutarde envahit mon nez.

— Je suis déjà sur l'affaire de la chute Montmorency, Rebecca, et je vous assure que c'est beaucoup plus grave que ces foutues lumières !

— À vous de voir, mais les témoins rapportent qu'une masse lumineuse de très grande dimension plane au-dessus de l'hôtel des *Premières Nations.*

Elle raccroche sans ajouter un mot au moment même où l'inspecteur Lorrain reçoit lui aussi un appel sur son téléphone mobile. Constantin est un homme plutôt taciturne, mais je comprends malgré le caractère télégraphique de sa conversation qu'on lui rapporte aussi l'apparition céleste de Wendake. Je décide de m'y rendre sur-le-champ.

***

L'hôtel des *Premières Nations* est un grand bâtiment d'allure moderne, mais inspiré de la culture autochtone. Il est bâti sur les berges de la rivière Saint-Charles, un peu en amont de la chute Kabir Kouba. Il se trouve tout près de l'église, en plein cœur de Wendake. Quand je tourne sur la rue Cloutier pour m'y rendre, ma voiture de service s'arrête toute seule.

— Merde !

Je profite de son élan pour me garer en bordure de la route. J'essaie de redémarrer, mais rien ne se passe. Le moteur, visiblement mort, refuse de faire le moindre rot.

— Regarde ! dit Julien en pointant l'index droit devant lui.

Un peu plus loin, une poignée de véhicules sont immobilisés au beau milieu de la route. Leur position insolite, c'est-à-dire en diagonale par rapport à la voie, me porte à croire que leurs propriétaires ne les ont pas garés là volontairement.

Julien et moi descendons de voiture et levons simultanément les yeux au ciel. Un fin couvert nuageux rend le ciel particulièrement mousseux. Malgré la grisaille de la nuit, on remarque vite l'étrange lueur orangée qui troue la voûte ennuagée.

Plus rapide que mon ombre, je dégaine mon téléphone pour capturer une vidéo du phénomène. D'un glissement de doigt sur l'écran tactile, j'essaie de l'allumer, mais l'appareil refuse de coopérer. Je le secoue rageusement, réessaye, mais l'écran demeure obstinément noir. Julien fait de même avec son propre téléphone, également en panne.

— Tu vois ce que je vois? me demande-t-il d'une voix blanche.

Des dizaines de personnes se trouvent dans la rue et regardent le ciel avec une indéniable curiosité. Juste au-dessus de l'hôtel, une masse lumineuse à l'aspect métallique flotte. La chose n'émet pas le moindre bruit et son éclat, d'intensité moyenne, est constant.

— C'est un ovni, s'écrie Julien en se mettant en route vers le stationnement de l'hôtel.

— Attends! dis-je en le rattrapant précipitamment. Il vaut peut-être mieux rester à l'écart.

Il semble obnubilé par l'apparition et ne réussit pas à détacher ses yeux de l'objet.

— Je crois qu'on doit rester prudents. Tu devrais peut-être demeurer ici, près de la voiture, pendant que je vais faire un tour là-bas.

Contrarié par ma proposition, Julien me toise pendant quelques secondes. Si je ne le connaissais pas aussi bien, son expression courroucée me ferait presque froid dans le dos.

— On s'apprête à vivre une rencontre du troisième type et tu me demandes de rester en retrait? Tu te fous de ma gueule, Félix?

Le drame de la chute Montmorency nous a occasionné de grandes émotions et nous avons les nerfs à vif. Il se fait tard, nous sommes épuisés, la nuit s'annonce encore une fois très longue et je n'ai pas envie d'ajouter une querelle à tout ce que je viens de traverser.

— C'est bon. Allons-y tous les deux, dis-je en me forçant à sourire.

Nous remontons la rue bordée d'arbres aux branches dénudées et rejoignons l'aire de stationnement. Des curieux sont disséminés tout autour de l'hôtel et certains observent le ciel en plaçant la main au-dessus de leurs yeux. Bien qu'il y ait des dizaines de personnes à l'extérieur de l'établissement, il y règne un silence inquiétant. Sans jamais quitter l'ovni des yeux, nous nous dirigeons vers la porte principale de l'hôtel. Les gens que nous croisons ne prêtent aucunement attention à nous. Je reconnais une employée à l'uniforme qu'elle porte et m'arrête aussitôt à sa hauteur.

— Vous savez ce que c'est?

Je sais très bien qu'elle ignore tout de l'objet qui se trouve dans le ciel, mais je préfère aborder les gens avec des questions inoffensives, voire un peu bêtes. Cela a l'effet de délier les langues.

— Aucune idée! répond la jeune femme

aux cheveux bruns et aux yeux légèrement en amande.

— J'ai entendu des gens affirmer qu'il s'agissait d'un ovni. Ce n'en est pas un, n'est-ce pas ?

L'employée hausse les épaules et souffle dans ses mains jointes pour les réchauffer.

— Vous avez appelé la police ?

— Évidemment, mais que voulez-vous qu'elle fasse ?

— Savez-vous où je pourrais trouver un policier ? Ma voiture est en panne et…

— Toutes les voitures sont en panne, monsieur ! Même que rien ne marche depuis que cette chose est apparue dans le ciel.

Je détourne le regard pour observer une nouvelle fois l'objet volant. Les nuages se sont un peu dissipés et dévoilent maintenant ce qui ressemble à une sphère aplatie dont le revêtement métallique semble de couleur assez foncée. Trois ouvertures à la surface de l'objet laissent filtrer de la lumière qui paraît parfois plus verte qu'orangée.

— Il a fallu que j'utilise le téléphone d'urgence des cuisines pour appeler les policiers, m'explique l'employée. Tout ce qui possède des circuits électroniques a cessé de fonctionner il y a environ une heure.

Cela explique pourquoi les téléphones mobiles sont hors d'usage et que les voitures rendent l'âme à l'approche de l'hôtel.

— Les ordinateurs sont tous morts et, au restaurant, plus rien ne fonctionne, sinon les poêles au gaz. Vous voyez, même ma montre s'est arrêtée ! Je n'aime pas ça. Si je ne craignais pas de perdre mon emploi, je ficherais le camp sans perdre une seconde. Plusieurs clients sont partis à pied. On m'a dit qu'à quelques centaines de mètres d'ici tout fonctionne normalement… Oh mon Dieu ! Ça commence à bouger !

L'objet se déplace très doucement et s'arrête au-dessus de la chute Kabir Kouba et du clocher de l'église de Wendake. Après être demeuré stationnaire pendant plusieurs minutes, il revient lentement au-dessus de l'hôtel. Ses trois lumières se subdivisent soudain pour donner naissance à sept faisceaux lumineux verdoyants qui se perdent dans les nuages diaphanes.

Julien et moi repérons un groupe de policiers qui devisent en suivant de près les mouvements de l'ovni. Armé de ma carte de presse, je m'approche d'eux pour essayer d'en savoir plus. Je me bute évidemment aux réponses évasives habituelles ; on me recommande de quitter les lieux et de revenir chercher ma voiture le lendemain. Ennuyé par les mises en garde qu'on nous sert, Julien s'éloigne et rejoint un homme plutôt âgé qui photographie le ciel à l'aide d'un vieil appareil à pellicule. Quant à moi, je fais mine de m'en aller, mais je tends toujours l'oreille pour entendre ce que disent les policiers.

— Cet objet se trouve à moins de mille cinq cents mètres d'altitude, affirme l'un d'eux en s'adressant à ses collègues. Avant d'être dans la police, j'étais pilote et j'ai l'habitude d'évaluer ce genre de distance.

— D'après toi, quelle est la taille de la soucoupe volante ? demande un autre le plus sérieusement du monde.

— Je ne sais pas s'il s'agit d'une soucoupe volante, mais cette chose a un diamètre de plus de six cents mètres.

Un homme arrive au pas de course et traverse l'aire de stationnement pour rejoindre le groupe de policiers. À en juger par son uniforme et sa casquette, il fait également partie des forces de l'ordre. Hors d'haleine, il prend à peine le temps de souffler avant de faire son rapport à ses collègues.

— L'armée n'a rien à voir là-dedans, dit-il d'une voix saccadée. Je viens de parler au capitaine Boulanger qui m'assure qu'aucune opération militaire n'est en cours. Quant à la tour de contrôle de l'aéroport de Québec, elle ne capte rien sur ses écrans radars.

— Je crois qu'il vaudrait mieux faire évacuer le secteur, affirme celui qui semble le plus haut gradé.

— Et si ce n'était qu'un phénomène lumineux ? questionne un quatrième.

L'ancien pilote secoue énergiquement la tête.

— Il ne s'agit pas que de simples lumières, tranche-t-il. Messieurs, ce qui se trouve au-dessus de nos têtes est bien réel et personne ne sait ce que c'est. Il faut demander à l'armée d'envoyer un avion en reconnaissance. Nous sommes peut-être en danger.

18

Québec, 2 h 55

Peu avant trois heures du matin, l'ovni de
Wendake s'élève très lentement dans le ciel
pour disparaître complètement en quelques
minutes. Ses lumières vertes redeviennent
orangées avant de tourner au rouge et de s'évanouir à travers la bande nuageuse. Dès qu'il
disparaît, les voitures en panne consentent
à redémarrer et les appareils électroniques,
bien que déréglés, se remettent à fonctionner
normalement.

Julien a obtenu les coordonnées de l'homme
qui, grâce à son appareil photo démodé, a pu
capter sur pellicule l'étonnant phénomène
dont nous avons été témoins. Il a promis de
nous faire parvenir ses clichés au journal sans
demander un sou en échange.

Je dépose Julien chez lui et rentre à mon
appartement. Mon ami est trop fier pour

l'admettre, mais il est fortement ébranlé par la nuit que nous venons de vivre. La tragédie du téléphérique, jumelée à l'apparition insolite au-dessus de l'hôtel de Wendake, l'a vidé de toute énergie. Je suis moi aussi épuisé et c'est sans même me dévêtir que je tombe à la renverse sur mon lit. Troodie n'admet pas que je la néglige ainsi et vient se coucher sur mon oreiller, son ventre rebondi appuyé contre le sommet de ma tête. Ses ronronnements bercent les quelques heures de sommeil que je m'accorde.

C'est la sonnerie de l'application Skype qui me réveille. Les cheveux en bataille, les vêtements tout tordus, je bondis du lit beaucoup trop vite au goût de Troodie. Je me rue sur mon ordinateur et réponds à l'appel de Jonathan London sans hésiter.

— Je viens d'apprendre aux informations que l'homme-phalène a été aperçu au moment du drame du téléphérique, affirme le cryptozoologue aux yeux de glace et aux cheveux d'argent.

— C'est vrai. Je l'ai moi-même vu.

Je lui décris en détail l'apparition. Il m'écoute en prenant de nombreuses notes. Il me questionne ensuite sur l'ovni aperçu au-dessus de Wendake, qui lui aussi défraie la chronique.

— Vous avez vécu une rencontre éloignée du premier type, m'apprend-il. Ce que vous décrivez me rappelle le cas de l'ovni du *Hilton Bonaventure* de Montréal.

Je ne sais rien de cette histoire, mais elle m'intéresse au plus haut point.

— Pourriez-vous m'en dire davantage?

— Cette visite inattendue est survenue le 7 novembre 1990 en plein centre-ville de Montréal. L'hôtel *Hilton* est situé sur le toit de la *Place Bonaventure* et on y a même aménagé une vaste piscine. C'est justement une baigneuse qui a remarqué la première les étranges lumières qui perçaient les nuages. Quelques minutes plus tard, la direction de l'hôtel rapportait l'observation à la police, qui a tout de suite rappliqué. Les policiers ont eux aussi constaté la présence de l'objet volant dans le ciel et un journaliste a réussi à le photographier. L'ovni est demeuré immobile au-dessus de l'immeuble pendant plus de trois heures avant de s'évanouir dans la nuit. Les radars de la tour de contrôle de l'aéroport de Dorval n'ont rien capté et l'armée n'a jamais voulu publier le rapport des officiers de l'aviation militaire envoyés ce soir-là en reconnaissance. Le plus étrange, c'est que des agents du NORAD sont venus réclamer auprès des autorités compétentes tous les rapports en lien avec cette observation. Il semble qu'ils soient depuis classés confidentiels. Malgré tout, des dizaines de personnes continuent d'affirmer que ce qu'elles ont vu ce soir-là dans le ciel de Montréal était bel et bien un ovni.

Je suis stupéfié par le récit du cryptozoologue. Pendant qu'il me parle, je me permets une petite recherche sur Internet afin de vérifier les faits qu'il rapporte. La panoplie d'articles que je trouve sur la toile me confirment la véracité de l'histoire. Ce qui m'étonne le plus, c'est que les faits survenus à Montréal il y a plus de vingt ans semblent en tous points identiques à ce dont j'ai été témoin la veille. Une question me vient immédiatement à l'esprit.

— Qu'en est-il de l'homme-phalène ? Aurait-il été aperçu dans les environs de la ville durant les jours qui ont précédé ou suivi le 7 novembre de cette année-là ?

— Si c'est le cas, je n'en ai jamais entendu parler, affirme Jonathan London.

— Cela voudrait dire que les récents événements sont un peu différents de ceux survenus dans la métropole québécoise il y a plus de vingt ans.

— Que voulez-vous dire ?

— J'ai bien réfléchi à ce que vous m'avez dit lors de notre dernière conversation. Je pense que l'homme-phalène se manifeste quand les visiteurs extraterrestres ne sont pas là que pour observer.

— Il agit pour protéger l'homme, j'en ai acquis la certitude au fil de mes années de recherches.

— Mais pourquoi doit-il nous protéger ? Que nous veulent ces visiteurs venus de l'espace ?

— C'est là tout le mystère qui nous occupe, Félix.

— Je vous avoue que je me sens un peu perdu.

— Vous doutez de ce que vous avez vu, n'est-ce pas ?

Avant de répondre, je m'oblige à réfléchir quelques secondes. Après tout ce qui s'est passé ces derniers jours, j'ai besoin de prendre un peu de recul et de faire le point, mais je ne crois pas en avoir le loisir.

— J'ai de la difficulté à croire à tout ça, monsieur London, dis-je en passant la main dans mes cheveux hirsutes.

— Pourquoi donc ?

— Parce que c'est tout simplement impossible !

— Qui vous a assuré que de telles choses n'existent pas ? Croyez-vous donc que nous sommes seuls dans l'univers ?

Déboussolé, j'appuie mon menton au creux de ma main.

— J'ai l'impression de devenir fou.

— La plupart des gens croient que j'ai perdu l'esprit depuis des années et je m'accommode plutôt bien de leur jugement. Quant à moi, je pense qu'il n'y a pas plus fou que celui qui refuse de croire en ce qu'il voit de ses propres yeux.

Chaque fois que je lui parle, je comprends un peu mieux pourquoi Violette et cet homme sont devenus amis. Ils partagent la sagesse de ceux qui acceptent de ne pas tout comprendre.

— Maintenant, Félix, je crois que vous devriez mettre vos questionnements de côté et mener votre enquête comme si les événements qui la justifient étaient des plus ordinaires.

— Que suggérez-vous?

— L'homme-phalène n'apparaît pas par hasard à ceux qui l'aperçoivent. Il existe forcément un lien entre ces témoins et les événements tragiques qui sont survenus dans la région. Il faut chercher sans relâche.

***

Quand j'arrive au journal, je trouve l'inspecteur Constantin Lorrain confortablement installé dans la chaise d'invité de mon bureau. Il ne prend pas la peine de se lever pour m'accueillir et ne me laisse pas le temps de m'asseoir avant de placer un cliché entre mes doigts. Je reconnais le pont de la chute Montmorency et ses piliers de pierres. Puisqu'on a beaucoup agrandi l'image, la forme noire que j'y distingue est très floue.

— Qui d'autre que nous a vu cette bestiole? me demande-t-il d'une voix très basse. Je veux parler à chacun d'entre eux.

— Vous devriez commencer par le survivant de l'autobus, Noah Michaud, dis-je en prenant place dans mon fauteuil. Vous avez l'air épuisé, inspecteur. Avez-vous seulement fermé l'œil, depuis que nous nous sommes quittés?

Il secoue la tête et balaye mon inquiétude d'un mouvement agacé de la main. Ses yeux cernés, son teint cireux et ses vêtements défraîchis disent pourtant que j'ai raison.

— Je suis ici pour vous annoncer que je ne déposerai aucune accusation contre vous en raison de la fausse alerte à la bombe.

Je me montre soulagé, même si le tourbillon de la nuit dernière m'avait presque fait oublier que cette menace planait sur mon ami Julien et sur moi.

— C'est très gentil à vous, dis-je en lui offrant un large sourire.

— Je ne le fais pas par gentillesse, monsieur Saint-Clair, mais bien parce qu'une véritable menace planait sur le parc de la chute Montmorency au moment où vous avez donné l'alerte. Qui plus est, je crois pertinent que vous poursuiviez votre enquête de votre côté.

Il gigote nerveusement dans le fauteuil. Il semble si inconfortable que j'en deviens moi aussi mal à l'aise.

— Est-ce que je peux faire autre chose pour vous, inspecteur?

Constantin fouille dans la poche de son manteau et dépose son téléphone sur mon bureau. Il le tripote de ses doigts maigres pendant presque une minute. Je ne le connais pas beaucoup, mais je l'ai rencontré assez souvent pour comprendre qu'il n'est vraiment pas dans son assiette.

— J'aimerais vous faire entendre quelque chose, finit-il par dire, sans quitter l'appareil des yeux.

Au bout d'encore un moment, il lâche son téléphone, s'adosse au fauteuil et pousse un profond soupir.

— Hier soir, comme vous, je me suis rendu dans les environs de Wendake. Comme toutes les voitures, la mienne est tombée en panne à quelques centaines de mètres de l'hôtel des *Premières Nations*. J'ai décidé de rejoindre les policiers rassemblés à l'extérieur de cet étonnant périmètre. Je ne suis pas resté longtemps avec eux, car, à première vue, rien ne permettait de croire que les étranges lumières et la catastrophe de la chute Montmorency étaient liées. Le chef de police de Wendake et moi avons échangé quelques mots. Par la suite, j'ai pris un taxi pour rentrer chez moi.

Il reprend son téléphone, l'allume, accède à sa messagerie vocale et appuie sur la touche de lecture.

— Mon téléphone ne me quitte en aucune circonstance et je ne rate jamais un appel, dit-il entre ses dents serrées. Pourtant, alors que je me trouvais à bord de la voiture de taxi, je me suis rendu compte qu'on avait déposé un message vocal dans ma boîte.

Constantin Lorrain monte le son de l'appareil et le pousse vers moi en lançant la lecture.

— *Je suis R. C. Christian*, annonce une voix aigrelette aux accents électroniques. *Nous sommes de retour pour livrer une nouvelle fois à l'humanité un message qu'elle n'a plus le droit d'ignorer. Toutes les voix doivent s'unir pour avertir le monde de son déclin. Nous vous punirons à nouveau afin que vos maîtres comprennent qu'on ne doit jamais emprisonner l'eau. Hongouyarah, trois cent soixante-trois mourront. Hongouyarah, trois cent soixante-trois mourront. Hongouyarah, trois cent soixante-trois mourront...*

Le message se prolonge ainsi pendant de longues secondes et la voix métallique répète inlassablement sa condamnation. La rengaine s'arrête quand le message vocal atteint la durée maximale permise.

— Mais quel est donc ce mot bizarre? Hongouyarah? Savez-vous seulement comment on doit l'écrire?

L'inspecteur secoue la tête.

— Il faut le découvrir, souffle Constantin en rempochant son téléphone. Ce dont nous avons été les témoins est déjà horrible; imaginez un peu ce que ce sera si trois cent soixante-trois personnes meurent sous nos yeux!

19

Julien et moi nous retrouvons à la boulangerie du coin pour casser la croûte. Affamé, je choisis un sandwich végétarien, une crème de céleri bien chaude et un grand café au lait. Mon ami fait preuve d'un flagrant manque d'originalité en commandant exactement la même chose que moi. Nous prenons place à une table qui jouxte la vitrine du commerce.

— Je ne savais pas que tu croyais aux Martiens, dit Julien en mordant avidement dans son sandwich.

Son affirmation ne manque pas de m'étonner. Julien a assisté au même phénomène que moi.

— Je sais ce que tu vas dire, Félix ! annonce-t-il sans même me laisser le temps de placer un mot. Nous avons vu cette chose flotter au-dessus de l'hôtel, nous avons observé ses lumières et ses mouvements, mais j'ai lu sur le sujet et il pourrait s'agir d'un phénomène apparenté aux aurores boréales.

Je ne suis pas spécialement crédule; je dirais même que je suis plutôt sceptique de nature; mais ce que propose Julien comme explication ne tient pas la route. Je lui objecte, la bouche pleine :

— Sans être un spécialiste des aurores boréales, je ne crois pas qu'une lumière polaire puisse être confondue avec une soucoupe volante !

— Tu devrais faire des recherches sur le sujet, renchérit-il avec un large sourire légèrement suffisant. On a déjà pris un simple nuage pour un vaisseau spatial. Je pense que nous sommes tous les victimes de notre imagination.

— Et que fais-tu de l'homme-phalène? Tu l'as vu, toi aussi ! Il t'a même causé une peur bleue.

L'évocation de la sombre créature fait perdre à Julien toute sa confiance en lui. Il tourne la tête vers la fenêtre et fait mine d'observer les passants.

— Tu ne peux pas sérieusement croire que nous ayons été bernés par une illusion d'optique?

Il s'obstine à garder son regard tourné vers la fenêtre.

— Tu m'écoutes? demandé-je avec une pointe de colère dans la voix.

Mon ami se lève et plaque ses mains contre la baie vitrée. Sa mine hébétée, la tension que je remarque dans son cou et le fait qu'il m'ignore totalement ne manquent pas de m'inquiéter et d'attirer mon attention vers ce qui se passe à l'extérieur.

À l'autre bout de la rue Saint-Joseph, j'aperçois un petit groupe de personnes qui approchent en brandissant des pancartes colorées. Ils se démènent avec tant de vigueur que je n'arrive pas à lire ce qui apparaît sur leurs écriteaux.

— Qu'est-ce qu'il y a? Qu'est-ce que tu as vu? dis-je en me penchant vers Julien dans l'espoir de mieux voir.

— Une femme tient une pancarte qui porte l'inscription R. C. Christian, dit-il d'une voix blanche.

— Tu es sérieux?

D'un même mouvement, nous abandonnons notre table et les repas qui y trônent pour sortir sur le trottoir. Décembre est arrivé, il n'y a toujours pas de neige au sol, pourtant le froid polaire qui nous mord le visage est bel et bien hivernal. Le ciel est blanc et le centre-ville, envahi de smog, s'habille d'une morne fadeur, mais les affiches colorées perturbent la grisaille environnante. Armé de ma carte de presse et de mon iPhone dont j'active la fonction microphone, je me rue vers le groupe bigarré.

Un impressionnant brouhaha accompagne la progression de cette poignée de manifestants. Ils ne sont que sept individus, mais ils chahutent tant que tous les passants s'arrêtent pour les regarder. Sur les pancartes qu'ils brandissent, j'aperçois plusieurs mentions du nom de R. C. Christian, ainsi que de nombreuses prophéties de fin du monde. Je me dirige sans hésiter vers celle qui semble être la meneuse de la troupe, une femme blonde aux lèvres peinturlurées d'un rouge criard, enveloppée dans un manteau de fausse fourrure.

— Félix Saint-Clair du *Télégraphe de Québec*, lui dis-je au moment où, me prenant pour un policier en civil, elle s'apprête à me bousculer.

— Les commandements doivent être respectés! claironne-t-elle de sa voix éraillée. Il n'y en a plus pour longtemps!

— De quels commandements parlez-vous?

— De ceux gravés dans la pierre par R. C. Christian, le 22 mars 1980. J'ai été contactée par les hommes en noir et ce sont eux qui m'ont tout appris. Maintenant, je dois transmettre mon savoir aux autres!

Je marche aux côtés de la femme blonde qui continue d'avancer en direction d'un petit parc niché dans l'ombre de la bibliothèque. Quand j'entends le son d'une sirène de police qui approche, je comprends qu'elle sera bientôt arrêtée.

— Malheur à vous ! crie-t-elle avec véhémence. Les hommes en noir ont fait ériger ces grandes pierres au nord de la Géorgie il y a plus de trente ans ! Ils espéraient que l'humanité entendrait raison, mais nous avons fait la sourde oreille. Il est trop tard, maintenant !

J'aperçois Julien qui se tient de l'autre côté de la rue et qui, armé de son téléphone intelligent, capte une vidéo de la scène. La femme blonde le remarque en même temps que moi et pointe vers lui un doigt vengeur.

— Bientôt, tous ces appareils seront bons pour la poubelle ! crache-t-elle sans même remarquer celui que je tiens sous son nez depuis que je me suis approché. L'homme devra renoncer à son dieu technologique pour revenir à la source première de toute vie ! Quand nous serons enfin dépouillés de tous nos artifices, nos créateurs reviendront pour nous annihiler.

— Vous annoncez la fin du monde ?

La blonde tourne vers moi un regard fou. Une force étonnante se dégage d'elle et, bien qu'elle me fasse un peu peur, je ne puis qu'être impressionné par l'intensité dont elle fait preuve.

— J'annonce le début de l'ère de l'eau! crache-t-elle au moment où les policiers débarquent. Ce sera la fin du monde pour vous, mais pas pour moi, car ils m'emmèneront sur Lanulos!

***

L'estomac toujours creux, Julien et moi regagnons les locaux du journal quand mon téléphone sonne. Je décroche et entends avec plaisir la voix de Violette qui a retrouvé son pimpant habituel.

— Qu'avez-vous dit à Jonathan London? demande-t-elle gaiement. Il appelle chez moi toutes les heures pour savoir s'il y a du nouveau. Je vous avoue que je ne sais plus quoi lui dire.

— C'est sans doute sa passion pour l'ornithologie extrême qui refait surface...

Manifestement d'excellente humeur, Violette éclate d'un rire cristallin.

— Vous avez peut-être raison, dit-elle. Quoi qu'il en soit, je voulais simplement vous dire qu'Olivier va bien. Ses yeux ont retrouvé un aspect presque normal et, grâce au ciel, il a beaucoup dormi. Je crois que le pire est derrière nous.

La nouvelle me réjouit, mais je ne partage pas son optimisme. Les apparitions de l'homme-phalène et les catastrophes qui les accompagnent, les visites d'ovnis ainsi que la résurgence de R. C. Christian m'inquiètent au plus haut point.

— C'est une bonne nouvelle, dis-je sans entrain. Je vous prie tout de même de rester prudente.

— Ah bon!

— L'homme en noir est-il revenu chez vous?

— Vous imaginez bien que je vous en aurais parlé aussitôt! Non, il n'est pas revenu et je m'en porte très bien. Mes chiens aussi.

Je raconte à Violette ma rencontre insolite avec la femme blonde. L'évocation de R. C. Christian ne plaît pas du tout à la sorcière, qui n'a guère aimé que cet individu force sa porte pour laisser sa carte de visite.

— Lanulos? Mais qu'est-ce que c'est?

— Il semble que ce soit la planète d'origine de nos visiteurs. Je n'en sais pas beaucoup plus.

— Pour ma part, je ne suis pas certaine de vouloir en savoir davantage.

— Dites-moi, savez-vous ce que pourrait signifier un mot qui ressemble à Hongouyarah?

Violette me fait répéter à plusieurs reprises et murmure elle aussi ce mot étrange, comme si cela pouvait l'aider à en comprendre le sens.

— Je n'en ai pas la moindre idée, finit-elle par répondre.

— Ce n'est pas grave. J'aimerais discuter à nouveau avec Olivier. Si je vous rendais visite, ce soir ?

D'une solide bourrade, Julien, qui progresse à mes côtés, me fait comprendre qu'il n'admet pas d'être ainsi mis de côté. Je précise aussitôt à Violette qu'il sera également de la partie.

***

Au grand plaisir du rédacteur en chef qui n'a pas du tout apprécié que je ne lui fournisse aucun article pour le numéro du jour, je passe tout l'après-midi à écrire. Installé dans mon bureau, j'essaie de faire le vide dans mon esprit et de me rejouer le film des récents événements.

Olivier a été le premier à apercevoir l'homme-phalène alors qu'il se trouvait tout près de la chute Kabir Kouba. Charles a été témoin de la même apparition, mais d'un point de vue totalement différent ; il a vu la créature s'envoler depuis la salle à manger du restaurant *La Sagamité*. Pendant plusieurs jours, les deux hommes sont demeurés silencieux et n'ont parlé à personne de ce qu'ils ont vu. Pourtant, Olivier a porté les stigmates de sa rencontre avec l'homme-phalène, alors que ses yeux rougis étaient impossibles à guérir. Quant à moi, je ne comprenais pas trop ce qui m'arrivait, car l'inflammation gagnait mon œil droit avant que d'étranges souvenirs me reviennent. J'ai dû recourir aux talents d'herboriste de Violette pour me soigner et c'est pendant qu'elle m'hébergeait que R. C. Christian s'est manifesté pour la première fois. La nuit même, Violette m'a conduit au château d'eau de Loretteville, car des résidents y étaient rassemblés pour observer un étrange phénomène céleste. Je n'ai toujours pas réussi à découvrir la source de ces trois lumières.

Mon article sur l'homme-phalène a suscité de vives réactions. À mon retour au bureau, plusieurs messages vocaux m'apprenaient que la bête s'était manifestée à d'autres personnes. À première vue, la créature semblait n'apparaître que dans les environs de la réserve indienne de Wendake. Ma rencontre avec ces nouveaux témoins m'a forcé à croire qu'une bête insolite erre bel et bien dans les alentours. Olivier et Annette Bédard m'ont confondu avec un homme en noir qui leur aurait rendu visite, mais c'est le jeune homme qui a réagi le plus violemment en menaçant de me trouer la peau si j'osais revenir chez lui. Ces événements, ainsi que l'inquiétant message déposé dans ma boîte vocale, ont été mes premiers contacts avec Indrid Cold. Son irruption dans nos vies a coïncidé avec le plongeon de l'autobus 271 dans la chute Kabir Kouba.

Ensuite, les choses se sont précipitées. Indrid Cold a formulé un nouvel avertissement, comme quoi, bientôt, trente-trois personnes mourraient sous le voile de la mariée. Mes recherches, combinés à ce que Jonathan London m'a appris sur les événements survenus à Point Pleasant, m'ont porté à croire que le pont qui surplombe le sommet de la chute Montmorency s'effondrerait. Sur place, j'ai retrouvé l'inspecteur Constantin Lorrain qui a aperçu lui aussi l'homme-phalène, accroché à la structure du pont. Quelques minutes plus tard, mes pronostics s'avéraient inexacts, car c'est le téléphérique du parc qui s'est décroché et qui est tombé dans le bassin de la cascade. Si Indrid Cold a eu raison quant au nombre de victimes de la catastrophe de la chute Kabir Kouba, il s'est trompé au sujet de l'accident de la chute Montmorency, car trente-deux corps seulement ont été repêchés. Presque au même moment, un objet volant non identifié est apparu au-dessus de l'hôtel des *Premières Nations* de Wendake et a provoqué la panne de tous les appareils mécaniques et électroniques. Le phénomène rappelle celui survenu par un beau soir de novembre 1990, quand un objet du même acabit est apparu au-dessus du *Hilton Bonaventure* de Montréal.

De son côté, Julien a été poursuivi par quelque chose qu'il n'a qu'entraperçu alors qu'il cherchait des preuves matérielles du passage de l'homme-phalène. Et moi, je ne sais toujours pas si j'ai rêvé ou si la créature aux yeux rouges est véritablement apparue à ma fenêtre.

Outre ces faits plutôt déstabilisants, il faut dire que, depuis le début de cette affaire, les télécommunications s'avèrent très mauvaises.

20

Avant de me rendre chez Violette, je décide qu'il est plus que temps de récupérer ma voiture chez le garagiste. À mon grand étonnement, ce dernier m'apprend qu'il n'a fait aucune réparation et qu'elle fonctionne parfaitement. Comme il en a profité pour faire un entretien complet, je dois tout de même débourser une centaine de dollars, mais je suis soulagé que la facture ne soit pas plus salée. C'est avec un plaisir impossible à dissimuler que je remets au garagiste les clés de la voiture de service à l'habitacle malodorant.

Julien et moi montons à bord de mon véhicule pour filer vers Sainte-Catherine-de-la-Jacques-Cartier. La nuit est claire ; le ciel sans nuage est éclairé par un timide croissant de lune et le monde entier se colore des nuances d'un bleu très foncé. Nous quittons rapidement la ville pour rejoindre les routes sinueuses et bordées d'arbres de la campagne. Nous roulons en silence pendant quelques minutes lorsque je commence à réfléchir à voix haute.

— Tu crois que c'est à cause des objets aperçus dans le ciel de la région que ma voiture a cessé de fonctionner?

— Qu'est-ce que tu crois avoir aperçu dans le ciel, Félix? riposte Julien, toujours emmuré dans un scepticisme que je m'explique mal.

— Un objet dont on ne sait pas grand-chose! dis-je avec une pointe d'impatience. D'accord, il pourrait s'agir d'un aéronef de l'armée, d'un phénomène météorologique ou d'un ballon-sonde particulièrement gros et statique, mais tu avoueras tout de même que toutes ces pannes sont plutôt étranges!

— Je suis d'accord avec toi, ce qui se passe est très bizarre, mais de là à croire que de petits bonshommes verts vont bientôt débarquer, c'est une autre histoire!

— Alors, comment expliques-tu ces pannes?

— Une éruption solaire pourrait en être la cause.

— Qu'est-ce que c'est?

— J'ai fait quelques recherches là-dessus, mais je n'ai pas retenu les termes scientifiques. En gros, c'est que le soleil laisse échapper une bulle de plasma en direction de la Terre.

Ce genre de phénomène peut provoquer une tempête de particules énergétiques capable de modifier le champ magnétique de la planète et de causer des pannes importantes. Le 13 mars 1989, le Québec a été frappé par un tel orage solaire et c'est tout le réseau électrique de la province qui en a souffert. Il y a eu une panne générale qui a duré plus de neuf heures !

— Tu es sérieux ?

— Absolument ! En plus, il n'est pas rare que les éruptions solaires causent des aurores boréales plus intenses qu'à l'habitude et visibles jusqu'à des latitudes où il est improbable d'en apercevoir.

La culture de Julien m'impressionne et je démontre mon appréciation d'un tel étalage de science en poussant un sifflement suraigu.

— C'est une piste intéressante, dis-je en hochant la tête. Mais que fais-tu de l'homme-phalène ?

Julien toussote avant de répondre à ma question.

— Si c'était un vulgaire oiseau ? avance-t-il crânement.

— Cette théorie a déjà été étudiée en Virginie-Occidentale, dis-je en me remémorant la documentation fournie par Jonathan London. Certains ont voulu démontrer que l'homme-phalène n'était rien d'autre qu'une effraie géante ou un autre rapace plus gros que la moyenne, mais ils n'ont pas réussi à prouver l'existence d'un tel oiseau.

— D'accord pour la Virginie-Occidentale, mais ici ? m'oppose Julien.

Je reste silencieux pendant quelques secondes, à ressasser les propos de mon ami. Ses arguments tiennent la route, sa recherche est sérieuse et son côté rationnel joue en sa faveur. Je connais aussi la propension qu'a l'esprit humain à s'emballer quand il se croit en face de quelque chose d'inexplicable. L'homme possède une imagination débordante et, devant l'inconnu, il peut très bien être la proie d'une hallucination collective.

— Comment expliques-tu les terribles accidents survenus aux deux chutes et surtout les prédictions qui les ont annoncés ?

— Ce n'est rien d'autre que du terrorisme ! L'œuvre d'une bande d'illuminés qui veut effrayer le monde en ressortant des commandements gravés dans le granite sur un monument perdu en Géorgie.

La logique de Julien ébranle les frêles convictions sur lesquelles reposait ma compréhension de l'affaire. Subitement perdu dans mes pensées, je fixe mon attention sur la route qui se profile devant moi. Nous roulons à bonne vitesse à travers la campagne plongée dans l'obscurité quand une lumière très vive attire notre attention. Elle se trouve de l'autre côté des arbres qui bordent la rivière, comme si une voiture aux phares particulièrement puissants arrivait perpendiculairement à la route, ce qui est évidemment impossible. Je décélère instinctivement et cherche la source de cette lumière parmi les arbres pourtant dépouillés de leur feuillage.

— Qu'est-ce que c'est? marmonne Julien en plissant les yeux.

— On dirait qu'il y a quelque chose au-dessus de la rivière. Je vais me ranger.

— Non! On devrait continuer.

L'éclat de voix de Julien trahit sa grande nervosité. Je remarque qu'il se cramponne à son siège et qu'il penche dangereusement vers moi, comme s'il voulait à tout prix s'éloigner de la source lumineuse. J'applique les freins et, malgré son désaccord, me range sur le bas-côté. Le moteur s'éteint tout seul, tandis que les cailloux de l'accotement crissent sous les pneus du véhicule. Mes phares, toujours allumés, se mettent à vaciller et finissent par s'éteindre à leur tour.

— Pourquoi as-tu arrêté la voiture? demande Julien dans un aboiement.

— J'y suis pour rien. Elle s'est éteinte toute seule.

— Tu me fais marcher !

— Je te jure que je n'y suis pour rien !

La lumière perd de son intensité et semble changer de trajectoire. Nous nous trouvons à quelques centaines de mètres seulement de la maison de Violette. Sans réfléchir aux conséquences potentielles de mon audace, je descends de voiture et me précipite vers le bord de la rivière. J'enjambe le parapet et foule les herbes hautes séchées par l'automne, puis je franchis la mince barrière des arbres et arbustes qui envahissent la berge. Ce que j'aperçois alors me pétrifie littéralement.

Une masse ovoïde à l'aspect métallique flotte un peu plus loin au-dessus de la rivière. Sa couleur, indéfinissable en raison de l'obscurité, passe de celle du charbon à un argenté éclatant. Deux faisceaux lumineux bleutés s'échappent de son fuselage, qui semble pourtant aussi lisse que la coquille d'un œuf. Instinctivement, j'attrape mon téléphone pour prendre quelques photos, mais je me bute évidemment à un appareil en panne. Croyant que Julien m'a suivi, je me retourne, mais mon ami n'est pas là. Même si je crains que cela n'attire l'attention des occupants de l'étrange aéronef, je me risque à crier :

— Julien !

Pas de réponse ! Cependant, les lumières

bleues de l'appareil tournent à l'orangé. Je recule pour me cacher derrière un arbre sans quitter la chose du regard. Elle perd un peu d'altitude et flotte maintenant à moins de deux mètres du niveau de la rivière. Bien que l'objet se trouve à deux ou trois cents mètres de l'endroit où je me trouve, je peux évaluer sa taille en la comparant aux arbres devant lesquels il vole. Il fait environ cinq mètres de longueur par deux mètres de hauteur.

Les lumières s'éteignent soudain et la vallée de la rivière se retrouve à nouveau plongée dans le noir. Le vent bruisse timidement au milieu des branches dégarnies des arbres, mais il me semble que mes semelles font craquer les brindilles comme si un régiment de soldats avançait dans les broussailles. J'essaie de rester immobile et plisse les yeux dans l'espoir de retrouver la trace de l'objet. La nuit est si noire que je ne devine rien, sinon le lit lustré de la rivière qui serpente à travers les montagnes.

Un éclat bleuté, comme celui que ferait le flash d'un appareil photo, mais mille fois plus puissant, me fait sursauter. L'appareil à la carlingue métallique réapparaît rapidement dans le ciel, puis s'évanouit dans la noirceur. L'aéronef ne surplombe plus la rivière, il survole maintenant la terre. Malgré la distance, je suis presque certain qu'il s'approche d'une résidence. Il ne peut s'agir que de celle de Violette…

**

— Viens vite !

C'est le cri que j'adresse à mon ami quand j'émerge des bois. Julien se trouve toujours dans la voiture ; il scrute les alentours en plaquant la paume de sa main dans la glace de la portière.

— Cette chose va tout droit chez Violette !

Tétanisé et les yeux exorbités, Julien semble incapable de faire le moindre mouvement. La bouche ouverte, il me regarde comme s'il venait de croiser un fantôme. Je me précipite sur sa portière pour l'ouvrir, mais il l'a verrouillée. Dans l'espoir de le faire réagir, j'assène un bon coup de poing dans la fenêtre. Il tressaille et pousse un grand cri, beaucoup trop aigu à mon goût, mais cela réussit au moins à le faire sortir de sa catatonie.

— Essaie de faire démarrer la voiture ! dis-je en contournant le devant du véhicule.

Julien s'exécute, mais ma bagnole refuse d'obtempérer.

— Allons-y à pied ! dis-je en m'éloignant déjà au pas de course.

Mon ami hésite un instant. Quand il me voit disparaître dans une courbe, il bondit hors de la voiture et s'élance sur mes pas. Comme il est plus grand et beaucoup plus athlétique que moi, il ne met que quelques secondes à me rattraper.

— Mais qu'est-ce que t'as ? dis-je en courant à ses côtés.

— Je t'expliquerai plus tard.

Nous fonçons comme deux sprinters vers la maison de Violette. La route que nous suivons est entièrement déserte et, dans le ciel, il n'y a pas la moindre lumière. Le froid est pénétrant, mais l'effort nous immunise contre sa morsure. Nous mettons moins de deux minutes à gagner la résidence de la sorcière. Julien se rue sur la porte principale qu'il essaie d'ouvrir, mais elle est verrouillée. Il sonne et frappe comme un déchaîné, pendant que je plaque mon nez contre la fenêtre du salon. Il fait noir, je ne vois rien et personne ne vient nous répondre. On dirait même que la maison est privée d'électricité.

— Violette ! hurle Julien en assénant de multiples coups de poing au battant. Violette !

Une voix suraiguë nous parvient, lointaine, sans que nous arrivions à comprendre ce qu'elle dit. Elle ne semble pas venir de l'intérieur de la maison. Julien sur les talons, je contourne la propriété pour m'élancer vers la cour arrière. Au fond du terrain, le faisceau lumineux d'une lampe de poche balaie les berges de la rivière. Quand je jette un regard vers la maison, je constate que la porte vitrée qui donne sur le jardin a été laissée grande ouverte. Pleurote et Coquelicot, dressés dans l'ouverture, grognent comme des ours qui s'apprêtent à attaquer.

— Tout doux! dis-je en reculant vers la rivière.

— Violette! crie Julien sans faire attention aux chiens, de plus en plus excités.

— Je suis là! répond la sorcière. Venez m'aider, je vous en prie!

Sous les regards féroces des molosses, nous fonçons vers la rivière pour rejoindre la propriétaire des lieux. Sa crinière de feu est nouée en une queue de cheval, ses lunettes sont posées sur le bout de son nez et une couverture molletonnée entoure ses épaules. Chaussée de simples pantoufles, elle marche dans le sable mouillé et fouille les eaux noires de la rivière du faisceau de sa lampe-torche.

— Que se passe-t-il? Où est Olivier? dis-je en la rejoignant.

Violette me tend sa lampe-torche et resserre la couverture qui lui sert de manteau. Ses grands yeux globuleux vont dans tous les sens et sa lèvre inférieure tremble. Elle est effrayée et n'arrive pas à retrouver ses esprits.

— Cette lumière… bafouille-t-elle. Si intense… si soudaine…

D'un geste que je veux rassurant, je pose une main sur son épaule. Nos regards se croisent enfin et j'ai le sentiment que cela l'apaise un peu. J'en profite pour répéter ma question.

— Violette, où est Olivier ?

— Il est sorti par cette porte, dit-elle en pointant celle qui donne sur la terrasse. Nous étions au salon et il s'est levé très lentement. Je lui ai demandé s'il désirait quelque chose, mais il n'a pas répondu et s'est dirigé vers la cuisine. Les chiens se sont dressés et se sont mis à aboyer. J'ai essayé de les faire taire, mais ils ne voulaient pas m'obéir. C'était comme s'ils sentaient quelque chose.

Julien m'arrache la lampe des mains et fouille les berges de la rivière.

— Ensuite ?

— Il est sorti, continue Violette d'une voix chevrotante. Je l'ai appelé à maintes reprises, mais il ne s'est même pas retourné. Quand j'ai voulu le rejoindre, Pleurote et Coqueli-cot se sont interposés en grognant ! J'ai eu très peur…

Elle joint les mains comme si elle s'apprêtait à réciter une prière.

— Tout s'est passé très vite ! Une lumière bleue très vive est apparue à l'extérieur et le vent s'est engouffré dans la maison. C'est là que l'électricité a été coupée.

Julien s'éloigne de nous. Il semble suivre une piste, mais je m'oblige à rester concentré sur ce que la femme me raconte. Elle est sans aucun doute en état de choc.

— Cette lumière n'était pas naturelle, Félix ! souffle-t-elle en s'accrochant à mon bras. C'était si aveuglant ! Une lumière froide, désincarnée, qui vous traverse la peau et les os ! Même en cachant mes yeux avec mes mains, je pouvais toujours percevoir sa clarté surnaturelle.

— Nous avons vu cette lumière, nous aussi.

— En me protégeant ainsi, j'ai réussi à voir quelque chose. Le vent soufflait très fort, mes rideaux voletaient dans tous les sens et des feuilles mortes pénétraient dans la maison, mais, étrangement, tout était parfaitement silencieux. Je voyais bien que les chiens aboyaient, mais je ne pouvais plus entendre leurs jappements. Dans l'embrasure de la porte, j'ai vu Olivier qui se tenait debout au milieu de la lumière. Il s'est avancé et, quand la lumière s'est éteinte, il n'était plus là !

Je suggère à Violette de rentrer chez elle, mais elle insiste pour poursuivre les recherches avec nous. Nous rejoignons Julien qui relève des traces de pas dans le sable boueux.

— Vous croyez que ces pas sont ceux d'Olivier? demande-t-il en perçant la noirceur du faisceau de sa lampe.

— Savez-vous dans quelle direction il est allé?

— Je viens de vous dire qu'il a disparu! répète Violette avec une pointe d'impatience dans la voix.

— On devrait peut-être se séparer?

Nous nous tenons tous les trois à quelques pas de la rivière. Le courant est faible et la mélodie de son doux clapotis détonne, alors qu'un sentiment d'impuissance nous étreint.

— Les traces s'arrêtent ici, dis-je en pointant deux empreintes très profondes.

— Tu crois qu'il s'est jeté à l'eau? demande Julien.

La rivière n'est pas très loin, mais à une distance trop grande pour qu'on puisse sauter de l'endroit où se trouvent les empreintes jusqu'à l'eau.

— Je ne crois pas, non.

— Alors quoi? gronde Julien. Tu ne vas tout de même pas me dire qu'il s'est volatilisé?

21

Mon téléphone consent à fonctionner au moment où je décide d'avertir Constantin Lorrain de la disparition du jeune homme. Toujours drapé du manteau qui allonge sa silhouette déjà longiligne, l'inspecteur débarque chez la sorcière moins de trente minutes plus tard. C'est avec une patience et une douceur que je ne lui connaissais pas qu'il prend la déposition de Violette. Pendant ce temps, je me permets d'ouvrir les armoires de cuisine à la recherche de café, mais je ne trouve que du thé vert.

— Au moins, ce sera chaud, dis-je dans un murmure en jetant les sachets dans une grosse théière.

Comme s'ils étaient rassurés par la présence du policier, les deux chiens sont couchés tout près de l'âtre et se font chauffer la couenne. L'électricité est rétablie et, s'il n'y avait pas des feuilles mortes un peu partout dans la cuisine, on pourrait presque croire qu'il ne s'est rien passé d'anormal dans cette maison.

— Je vais devoir déployer des équipes de recherche sur les rives de la rivière, annonce l'inspecteur en me rejoignant à la cuisine. Peut-être même quelques plongeurs.

— Vous croyez qu'Olivier s'est noyé?

— Vous admettrez que c'est quand même plus probable qu'un enlèvement par des extra-terrestres.

Lorrain a toujours les traits tirés, mais il semble beaucoup plus calme que lors de notre dernière rencontre. Il a retrouvé son flegme et sa rigidité habituels. Je détecte pourtant un soupçon de doute dans son regard.

Julien attrape deux tasses de thé fumant et passe au salon pour tenir compagnie à Violette. Quand je lui offre une infusion, l'inspecteur Lorrain plisse le nez en secouant la tête.

— J'ai rendu visite à Noah Michaud comme vous me l'aviez suggéré, dit-il en tripatouillant son téléphone. Ce garçon a obtenu une maîtrise en biologie de l'Université de Sherbrooke. C'est aussi un adepte d'une importante organisation vouée à l'environnement et le rédacteur d'un blogue ayant pour sujet la sauvegarde de notre planète.

— Tout pour plaire à ce cher R. C. Christian, on dirait !

— Si l'on en croit les Georgia Guidestones, oui. Les convictions de Noah Michaud, sans être aussi drastiques que celles gravées dans le granite par R. C. Christian, n'en sont pas moins semblables.

— Vous croyez qu'il fait partie du coup ?

— Il est trop tôt pour affirmer une telle chose.

— En tout cas, je ne vois pas comment il aurait pu orchestrer le plongeon de l'autobus dans la chute Kabir Kouba et en sortir vivant en plus.

Impassible, Constantin absorbe mon commentaire sans ciller. Il m'est impossible de deviner ce qu'il en pense.

— Ce que je trouve curieux, c'est qu'Olivier disparaît au moment où je m'apprêtais à communiquer avec lui.

— Vraiment ? Mais comment aurait-il pu en être informé ?

— J'ai parlé à ses parents il y a moins de douze heures. Pourtant, d'après madame Leduc, Olivier n'a reçu aucun appel d'eux au cours des dernières heures.

Je commence à croire que l'inspecteur Lorrain ne prend jamais de repos. Je ne sais trop quelle attitude adopter pour qu'il continue à me faire d'aussi fascinantes confidences.

— Ses parents sont des gens très instruits. Son père est ingénieur en biochimie et sa mère est une éminente glaciologue dont les travaux sont étudiés dans les plus grandes universités du monde. Ils travaillent tous les deux pour une immense compagnie qui exploite les sables bitumineux en Alberta, mais dont les bureaux se trouvent à Toronto.

— Que leur avez-vous dit ?

— Que leur fils affirmait avoir été prévenu des récentes catastrophes survenues dans la région, m'apprend Constantin. J'ai voulu en savoir plus sur ce garçon et ses parents ont immédiatement collaboré. Olivier est un jeune homme sans histoires qui, d'après ses parents, n'a jamais fait usage de drogue ou adhéré à une secte. Dans la famille, il n'y a aucun antécédent en matière de maladie psychiatrique. À première vue, les révélations d'Olivier n'ont rien à voir avec un délire mystique ou hallucinatoire ni avec la folie. Évidemment, mon intervention a rendu sa mère très inquiète et elle sera de retour en ville demain. Malheureusement, son fils vient de disparaître !

— Je constate que tous ces gens ont un lien

plus ou moins important avec la cause environnementale. Le sujet des sables bitumineux soulève l'ire des écologistes. C'est certainement une piste à explorer.

— C'est aussi ce que je crois, affirme l'inspecteur.

— Mais j'y pense! Avez-vous découvert ce que signifie hongouyarah?

— Pas encore, dit-il en s'éloignant pour faire un appel à la centrale de police.

Au salon, Julien et Violette discutent tout bas, comme s'ils prenaient soin de ne pas perturber le sommeil des chiens. Ma tasse de thé brûlant entre les mains, je reste seul dans la cuisine, le bas du dos appuyé au comptoir. Dans la maison, l'éclairage est plutôt tamisé et cela décuple les reflets que je vois dans la porte-fenêtre. À travers l'image distordue de l'intérieur de la résidence, j'aperçois les arbres qui bordent la rivière et le jardin de Violette. L'écran du petit téléviseur qui se trouve au salon trace un carré lumineux et mouvant sur la vitre. Tout est calme. Trop calme.

Je m'apprête à tremper mes lèvres dans le thé très chaud quand un mouvement indistinct attire mon attention à l'extérieur. Sans quitter la porte-fenêtre des yeux, je dépose maladroitement ma tasse sur le comptoir et une partie de son contenu me gicle sur les doigts. Faisant fi de la légère brûlure, je m'approche pour mieux voir ce qui se passe. Je ne peux pas me tromper : il y a effectivement quelque chose qui bouge à l'extérieur.

Dans les ténèbres de cette nuit sans lune, j'aperçois une forme sombre qui se déplace sur la berge de la rivière. Je crois qu'il s'agit d'Olivier qui peine à revenir vers la maison et je vais m'élancer quand la chose déploie ses ailes. Elles sont immenses et semblables à celles d'une chauve-souris. J'aperçois la créature de profil et son torse épais est tourné vers la rivière, ce qui fait en sorte que je n'arrive pas à voir ses yeux. Ses jambes fines et tordues ressemblent à des guillemets bien trop frêles pour soutenir la partie supérieure de son corps.

L'homme-phalène se trouve à quelques mètres de moi. Mon cœur s'emballe et cogne si fort contre mes côtes que j'ai l'impression qu'il veut sortir de ma poitrine. Que dois-je faire ? Alerter les autres ? L'observer en silence ? Ou peut-être aller à sa rencontre ?

Je reste là pendant plusieurs secondes à observer la bête qui s'approche maintenant de la maison en reculant. Même si ses ailes d'une envergure de plus de quatre mètres sont toujours déployées au-dessus de sa tête, l'homme-phalène reste au sol et son corps me paraît voûté. Ses pattes grêles piétinent le gazon gelé auquel elles tentent de s'agripper. La créature se retourne à moitié et j'aperçois l'un de ses bras minuscules, terminé par une main à quatre doigts griffus. Sa tête est enfoncée dans son corps, mais je réussis tout de même à voir son œil. Il n'est pas rouge, mais bien mauve, et il luit comme celui d'un félin dans la nuit.

C'est quand l'homme-phalène se redresse que je comprends qu'il traînait quelque chose. Une masse inerte roule sur le sol derrière lui avant qu'il se tourne complètement vers moi. Son corps est couvert de ce qui me paraît une fourrure sombre et lustrée ; je ne devine ni son nez ni sa gueule et remarque les crochets qui terminent les jointures de ses ailes.

L'homme-phalène et moi sommes face à face. Je devrais hurler, prévenir les autres et courir me cacher dans les profondeurs de la maison, mais je n'en fais rien. Derrière moi, Julien et Violette continuent de palabrer et l'inspecteur, dans une autre pièce, parle tout bas au téléphone. Les yeux énormes de la créature sont braqués sur moi. Leur éclat iridescent m'hypnotise. Et les secondes passent.

22

Je suis de retour chez moi. J'ai dormi pendant quelques heures et répondu aux appels incessants de mon estomac en m'accordant un solide petit-déjeuner. Je passe de longues minutes sous la douche et enfile des vêtements propres et confortables. Je m'assois pour écrire l'article que me réclame le rédacteur en chef. Dehors, la première neige tombe et recouvre la ville d'un manteau blanc floconneux.

L'homme-phalène a ramené Olivier chez Violette. C'est le corps inerte du garçon que la créature traînait derrière elle. Je n'en ai rien dit à personne. J'ai préféré laisser croire qu'Olivier avait rampé jusque-là par ses propres moyens.

L'homme-phalène est une créature aussi repoussante qu'inquiétante, mais j'ai perçu quelque chose qui s'apparente à de la douceur dans son regard violet. Pendant les quelques secondes qu'a duré notre muette communion, j'ai compris ce qu'il voulait. Je ne saurais pas comment l'exprimer avec des mots, mais la créature m'a transmis une sorte de message télépathique. Elle m'a demandé mon aide, bien que je ne sache pas au juste ce qu'elle attend de moi.

Quand l'homme-phalène s'est envolé, je me suis élancé vers l'extérieur pour porter secours à Olivier. Il était inconscient quand je suis arrivé auprès de lui, mais il a repris connaissance dès que Julien et moi l'avons étendu sur le canapé du salon. Il s'est mis à crier et à pleurer comme un enfant en voyant nos visages penchés au-dessus du sien. Nous nous sommes écartés et il s'est un peu calmé. L'inspecteur Lorrain a appelé les secours et une ambulance est venue le cueillir quelques minutes plus tard.

Avant d'entreprendre la rédaction de mon papier, je relis rapidement ceux que j'ai écrits précédemment sur le sujet. Le premier relate l'apparition d'un immense oiseau tout près de la chute Kabir Kouba, alors que le second décrit les lumières nocturnes apparues au-dessus du château d'eau. Depuis, les catastrophes des chutes et les bilans des victimes qu'elles ont faites ont capté toute l'attention des médias, la mienne incluse. Je ne sais trop pourquoi, la dernière apparition de l'homme-phalène m'a fait comprendre que, si je voulais voir plus clair dans toute cette affaire, il fallait que je m'éloigne des conséquences, bien que tragiques, de ces terribles accidents.

J'écris quelques lignes, mais l'inspiration n'y est pas et je me lève pour me planter devant l'une des deux fenêtres de mon salon. Le jour n'est pas encore levé, la ville est toujours endormie et les légers flocons valsent devant mes yeux. Une douce grisaille règne sur la rue Saint-Jean, complètement déserte à une heure aussi matinale. Les vitrines des boutiques sont toujours plongées dans l'obscurité et des grillages protègent leur entrée. Les trottoirs sont abandonnés et quelques rares voitures circulent lentement en direction du sommet du cap Diamant.

Je m'apprête à retourner m'asseoir devant mon ordinateur quand une longue voiture noire se gare devant l'immeuble que j'habite. Je ne reconnais pas avec certitude le modèle du véhicule, mais il pourrait s'agir d'une très vieille Cadillac aux vitres teintées. À en juger par le pot d'échappement qui crachote régulièrement un petit nuage de vapeur, le moteur tourne toujours, bien que le conducteur ait éteint les phares sitôt son véhicule immobilisé.

Intrigué, je rive mon regard à la grosse voiture qui, il faut l'avouer, paraît en excellente condition. J'essaie de voir sa plaque d'immatriculation, mais, en raison des ténèbres et de mon angle de vision, c'est pratiquement impossible. Un passager entrouvre la fenêtre arrière, je devine un éclat métallique à l'intérieur de l'habitacle et la fenêtre se referme aussitôt. C'est ensuite que les portières arrière s'ouvrent simultanément pour laisser sortir deux hommes entièrement vêtus de noir. Ils tournent presque instantanément leur regard caché derrière des verres fumés vers la fenêtre à laquelle je me tiens. Même si je sais qu'ils m'ont déjà vu, je me précipite aussitôt sur l'interrupteur pour éteindre la lumière du salon. Avec mille précautions toutes aussi inutiles les unes que les autres, je reviens vers mon poste d'observation et étire doucement le cou pour jeter un coup d'œil par la fenêtre. Quand je les vois debout sur le trottoir, toujours en train de regarder vers chez moi, je me jette à quatre pattes comme un enfant qui se fait un point d'honneur de remporter toutes les parties de cache-cache auxquelles il participe. Amusée de me trouver à sa hauteur, Troodie s'amène aussitôt et se frotte contre moi en ronronnant comme une locomotive. Inquiété par l'apparition des hommes en noir, je repousse doucement la chatte qui s'entête néanmoins à me démontrer son affection.

Après quelques secondes passées à me demander quoi faire, je me redresse de façon à ce que seuls mes yeux dépassent le cadre de la fenêtre. La voiture est toujours là, mais il n'y a plus qu'un seul homme qui se tient debout sur le trottoir. Ses cheveux noirs sont lissés sur son crâne et, bizarrement, la neige qui tombe ne s'y accumule pas. Il porte un long manteau, un pantalon, des bottes et des gants noirs. Comme il fait toujours nuit, je ne peux pas évaluer précisément la couleur de sa peau.

Je m'éloigne de mon poste d'observation et me remets enfin debout. Troodie, intriguée, bondit sur le rebord de la fenêtre et commence à y faire sa toilette. J'émets quelques pitoyables sifflements dans l'espoir de la convaincre de quitter son perchoir, mais elle m'ignore royalement et se lèche sans pudeur.

Des bruits de pas me parviennent du couloir. Ce sont des bruits sourds, lointains et presque imperceptibles, mais, dans le silence de ce petit matin, je pourrais entendre une mouche voler. Au bout d'un moment, je suis convaincu que quelqu'un monte l'escalier en direction de mon appartement. Serait-ce le deuxième homme en noir ?

À pas de loup, je me dirige vers la porte principale. Les vieux planchers de bois craquent toujours quand je marche, mais leurs protestations me semblent bien pires qu'à l'habitude. J'essaie de me mouvoir en glissant les pieds, mais rien n'y fait, je n'arrive pas à me déplacer silencieusement.

Je m'approche de la porte en retenant ma respiration. Grâce à Dieu, le battant est percé d'un judas par lequel je peux voir ce qui se passe dans le corridor. Quand je la vois pendre lamentablement le long du chambranle, je regrette de ne pas avoir mis la chaîne de sécurité au moment d'aller au lit. Je me décide enfin à plaquer mon œil contre le judas optique.

Comme je le craignais, l'homme en noir se tient devant chez moi. Il porte des vêtements identiques à ceux de son confrère, mais il transporte une mallette en cuir noir. Bien qu'il reste parfaitement immobile devant ma porte, un spasme nerveux qui traverse son visage me porte à croire qu'il a détecté ma présence. Sa peau est basanée, son nez, camus, sa bouche, plutôt pulpeuse; j'en conclus qu'il ne me ressemble pas du tout. Du bout des doigts, je m'assure que le verrou est poussé et je retiens le soupir de soulagement que cette certitude fait naître en moi.

Je m'éloigne tout doucement et traverse la cuisine à reculons. Mon appartement est entièrement plongé dans le noir, mon précieux téléphone dont la fiabilité a été mise à rude épreuve est branché pour recharge dans ma chambre et, outre Troodie qui me tient compagnie, je suis désespérément seul.

L'homme frappe à la porte. Sans être outranciers, ses coups sont forts et aussi réguliers que le tic-tac d'un métronome. Il frappe à trois reprises, trois coups à chaque fois. Je décide de rester silencieux et de faire comme si je n'étais pas chez moi.

Les secondes s'égrènent lentement. Trop lentement. Je suis debout au milieu de mon appartement, les poings roulés, les muscles tendus, prêt à foncer si l'individu force ma porte. J'essaie de retenir ma respiration, mais la nervosité la rend chuintante.

Je glisse en direction de la fenêtre du salon et vois que l'autre homme est toujours là. Je regarde ma montre ; il est très tôt et le jour ne se lèvera pas avant encore une heure. Je décrète intérieurement qu'il est inimaginable de rester ainsi en alerte pendant plus d'une heure et décide de me rendre jusqu'à ma chambre, de prendre mon téléphone et d'appeler la police. Mais, comme je vais me mettre en mouvement, des pas se font à nouveau entendre dans le couloir. Des pas mesurés, presque militaires, qui descendent l'escalier sans empressement. Cette fois, je n'arrive pas à retenir le soupir qui me monte aux lèvres.

Je retourne à la fenêtre de mon salon juste à temps pour voir les deux hommes remonter dans leur grosse voiture démodée. La Cadillac noire s'engage sur la route et disparaît à la première intersection.

***

Résolu à tout raconter à Jonathan London et à lui demander son aide une bonne fois pour toutes, je m'installe à nouveau devant mon ordinateur. Je n'ai pas encore enfoncé la moindre touche quand une fenêtre s'ouvre au milieu de mon écran. La sonnerie de Skype résonne dans mon appartement et l'identité de l'appelant me glace le sang.

Indrid Cold !

J'hésite à répondre. Comment puis-je recevoir un appel sans avoir accepté que cet individu figure dans ma liste de contacts ? Malgré mes doutes et le caractère insolite de la communication, je l'accepte d'un clic de souris.

— Oui ? dis-je tout simplement.

— Bonjour Félix Saint-Clair.

La voix de mon interlocuteur ne ressemble à rien. Elle est aiguë, aussi froide que désincarnée et elle a quelque chose de métallique. On dirait que les haut-parleurs de mon ordinateur se sont transformés en une vieille radio à transistors.

— Qui êtes-vous? demandé-je avec autorité.

— Mon nom apparaît sur l'écran de votre ordinateur, Félix Saint-Clair. Je suis Indrid Cold.

— Que voulez-vous?

— Pourquoi ne pas nous avoir ouvert la porte, tout à l'heure?

La voix d'Indrid Cold est aussi désagréable que le crissement d'une craie sur un tableau noir. Ma respiration s'accélère, car je ne sais pas quoi lui répondre.

— Vous avez peur, dit-il après quelques secondes de silence. De quoi avez-vous peur, Félix Saint-Clair?

Il m'interpelle toujours par mon nom entier et il le fait presque à chaque phrase qu'il pronnonce. Cette manière de discourir est à la fois solennelle et affreusement personnelle.

— Je ne sais pas ce que vous voulez.

— Nous voulons que nos commandements soient suivis.

— C'est pour cette raison que vous tuez des innocents?

— Nous punissons l'homme parce qu'il détruit la source de vie que nous lui avons donnée.

— Et de quoi s'agit-il, je vous prie?

— L'eau, Félix Saint-Clair. C'est le peuple de Lanulos qui a fait don de l'eau à cette planète.

J'attrape un bout de papier et note rapidement les propos du personnage. Pendant quelques instants, mon interlocuteur reste lui aussi silencieux, mais je peux entendre le chuintement de sa respiration.

— Vous ne me croyez pas, Félix Saint-Clair, dit-il de sa voix métallique. Je le sens.

Le ton est subitement menaçant. On dirait que l'homme en noir s'impatiente.

— Je crois que toute cette histoire est une supercherie, dis-je sans véritable conviction. Dites-moi qui vous êtes!

À cet instant, Troodie se dirige vers la cuisine et s'approche de son plat de moulée. Comme il est vide, elle se met à tourner autour comme si elle espérait que ce petit manège réussira à faire apparaître de la nourriture.

— Votre chat est affamé, Félix Saint-Clair.

Je bondis sur mes pieds et regarde dans toutes les directions. Est-ce qu'on aurait caché des caméras chez moi? Est-ce qu'Indrid Cold ou qui que ce soit s'est introduit à mon insu dans mon appartement?

— Que cherchez-vous? demande Indrid. Des preuves que nous n'existons pas?

J'essaie de me convaincre que tout cela n'est pas réel. Je m'éloigne de mon ordinateur pour jeter un œil par la fenêtre du salon. À mon grand soulagement, la vieille Cadillac noire n'est pas revenue. Je me dirige vers la porte principale et regarde par le judas : le couloir est vide. Au salon, la voix métallique continue de s'échapper de mon ordinateur.

— Nous avons colonisé la Terre il y a plusieurs millions d'années, m'apprend Cold. Nous sommes venus jusqu'ici aujourd'hui pour déposer une capsule temporelle de notre civilisation sur votre planète et voilà que nous la retrouvons dans un état lamentable. Nous reviendrons bientôt lancer à l'humanité le grand ultimatum.

— Qu'attendez-vous de moi ? dis-je en revenant vers mon ordinateur.

— Dites au monde entier que l'homme est un cancer pour la Terre, élevez le niveau de conscience de votre espèce et faites en sorte que l'humanité laisse la place à la nature.

La commande m'apparaît quelque peu hors de portée. Je ne peux retenir l'exclamation qui me vient.

— Mais je ne peux pas faire ça tout seul !

— Ne croyez pas que vous êtes notre seul messager, Félix Saint-Clair. Nous parlons à des centaines de personnes disséminées sur toute la surface de cette planète. Faites ce que nous vous demandons au moyen de vos écrits.

— Alors, je vous en prie, mettez un terme à ces terribles catastrophes !

— Elles sont nécessaires.

— C'est faux! Il est inutile de tuer les hommes.

— Vous devez être punis. Votre espèce refuse d'évoluer. L'homme ne comprend qu'à travers la souffrance.

— Je ferai ce que vous me demandez si vous ne tuez pas les trois cent soixante-trois personnes mentionnées.

— Nous avons décidé que ces gens devaient mourir et ils mourront.

Désespéré, je tente le tout pour le tout.

— Que signifie hongouyarah?

Un silence de plusieurs secondes me fait croire que Cold a interrompu la communication. Je secoue rageusement mon ordinateur, comme si cela pouvait forcer mon interlocuteur à me répondre.

— Au revoir, Félix Saint-Clair, claironne la voix métallique. Nous communiquerons avec vous bientôt.

23

Québec, 7 h 55

Avant de partir pour le journal, je communique avec Jonathan London. Le cryptozoologue se montre fasciné par le récit que je lui fais des derniers événements.

— Vous avez vraiment vu l'homme-phalène d'aussi près? me redemande-t-il à maintes reprises.

— Vous savez tout de notre singulière rencontre. Je n'en ai parlé à personne d'autre.

Surexcité, il fouille dans la paperasse éparpillée devant lui et me présente une image sur laquelle je ne vois pas grand-chose, sinon une maison photographiée en pleine nuit.

— L'homme-phalène se cache quelque part sur cette photo, me dit-il. Hormis vous, les gens qui habitent cette maison sont les seuls à avoir vu la créature d'aussi près. J'ai besoin de comparer votre témoignage au leur. Nous devons nous rencontrer, Félix, et le plus tôt sera le mieux.

— J'ai bien peur que ce soit impossible. Mon patron m'a confié la couverture de cette affaire et ce n'est pas le moment de m'éclipser.

Les petits yeux bleus de London pétillent sur l'écran de l'ordinateur.

— Je continue de croire qu'il serait préférable que vous vous éloigniez de la région de Québec quelques jours, insiste-t-il.

— Vraiment?

— N'êtes-vous pas conscient du danger qui vous guette, Félix? Les hommes en noir ne sont pas des enfants de chœur.

— Savez-vous qui ils sont?

— Ils vous l'ont dit, mais vous ne semblez pas y croire.

Pour tout dire, je ne sais plus très bien ce que je crois. Je me contente de rassembler mes observations et les faits qui me sont rapportés pour en faire une histoire aussi cohérente que possible, mais j'épargne ces réflexions au cryptozoologue.

— Ce sont vraiment des extraterrestres?

— Il existe plusieurs théories sur les hommes en noir. Certains prétendent qu'ils appartiennent aux services secrets ou à la CIA, tandis que d'autres affirment qu'il s'agit véritablement de visiteurs de l'espace. Leurs apparitions sont souvent indissociables de celles de l'homme-phalène, mais, soucieux de ma sécurité, j'essaie de ne pas trop m'intéresser à eux.

Les réserves de London me rendent un peu nerveux. Il est vrai que la récente visite des hommes en noir m'indique clairement que l'étau se resserre autour de moi.

— Vous savez maintenant que, malgré son allure repoussante, l'homme-phalène n'est pas une créature infernale, poursuit Jonathan London. Selon moi, le fait qu'il se soit autant approché de vous est aussi un indice que vous courez un grave danger. Je vous en prie, Félix, suivez mon conseil et venez me rendre visite à Ottawa. Je vous enseignerai tout ce que je sais sur cet être.

***

C'est un miracle que j'aie réussi à convaincre le rédacteur en chef de la nécessité de rencontrer Jonathan London pour la suite de mes articles. Cet exploit accompli, je me dirige vers mon bureau où je ramasse quelques affaires qui me seront nécessaires lors de mon périple. Je prends une minute pour adresser un courriel au cryptozoologue lui annonçant que je me mettrai en route en fin d'après-midi et que je devrais arriver dans la capitale fédérale en milieu de soirée.

J'ai mille choses à faire avant mon départ. Je commence par communiquer avec l'inspecteur Lorrain qui sera certainement heureux de connaître mon projet de déplacement.

— Vous serez absent pendant combien de jours? aboie-t-il à l'autre bout du fil.

— Deux. Trois tout au plus.

— Je veux pouvoir vous joindre en tout temps.

— C'est noté.

Je m'attends à ce que l'inspecteur raccroche, mais il poursuit sur une autre lancée.

— Je sors tout juste de l'hôpital Saint-François-d'Assise, dit-il sur un ton monocorde.

— Vous êtes malade?

— Pas du tout. Je viens de rendre visite à Olivier.

— Comment va-t-il?

— Pas trop mal.

— Vous a-t-il raconté ce qui lui était arrivé?

— Non. Pas un mot.

Je suis médusé par la réponse du policier, car il n'est pas du genre à admettre qu'on lui cache des choses.

— Il dit qu'il ne parlera qu'à vous, monsieur Saint-Clair. Je vous demande de lui rendre une petite visite avant de quitter la ville.

— Je n'y manquerai pas, inspecteur.

Constantin Lorrain toussote dans le combiné et j'ai presque l'impression qu'il vient de m'éternuer dans l'oreille. J'éloigne l'appareil de mon visage le temps qu'il se ressaisisse.

— Vous avez déjà parlé avec le capitaine Marc Boulanger, n'est-ce pas? me demande-t-il après s'être raclé la gorge.

Il s'agit du responsable de la base militaire de Valcartier avec qui je me suis entretenu après avoir aperçu les lumières nocturnes de Loretteville.

— En effet.

— Je lui ai parlé, moi aussi.

— Quand ça?

— Hier, en fin de journée.

— J'espère qu'il se montre plus coopératif avec vous qu'il ne l'a été avec moi.

— Pas vraiment.

— Que lui avez-vous demandé?

— J'ai voulu savoir si l'armée avait détecté quelque chose dans le ciel, le soir où cet objet est apparu au-dessus de l'hôtel des *Premières Nations*.

— Et…

— Il a refusé de me répondre sous prétexte que cette information est confidentielle.

Je me dis que, si l'armée refuse de collaborer avec la police, c'est qu'il se passe quelque chose de très grave. Un long frisson désagréable me parcourt l'échine et me force à fermer les yeux pendant une seconde.

— Son refus de vous donner de l'information ressemble à un aveu.

— C'est aussi ce que je me suis dit, claironne l'inspecteur dont la voix est enfin redevenue claire. Je n'ai donc pas eu le choix de poser la même question à mes… propres sources.

Je garde le silence pour laisser à l'inspecteur tout loisir de se confier, mais j'attrape un crayon et un bout de papier pour noter ce qu'il me dit.

— En fait, l'armée a envoyé un chasseur en reconnaissance trente minutes après l'apparition de l'objet, m'apprend-il. Bizarrement, le système de communication de l'avion est tombé en panne peu après le décollage et l'appareil a dû rentrer à la base presque aussitôt.

— Les radars ont-ils détecté la présence de l'ovni?

— Ceux de l'aéroport de Québec, oui. D'après le contrôleur aérien en service ce soir-là, la chose faisait plus de cinq cents mètres de diamètre!

Dans mon esprit, les scénarios catastrophes se succèdent à une vitesse folle. Je ne puis m'empêcher de penser que nous allons être envahis par une civilisation dont les moyens technologiques dépassent largement les nôtres.

— J'ai également appris que les militaires avaient envoyé un second avion une heure plus tard en direction de l'intrus, continue l'inspecteur.

— Je présume qu'il est tombé en panne, celui-là aussi?

— En quelque sorte. Le pilote affirme que son appareil a été attaqué par l'objet et que ses propres commandes d'armement sont tombées en panne au moment où il s'apprêtait à riposter.

J'ai fait beaucoup de recherches sur les phénomènes liés aux ovnis depuis l'apparition des premières lumières nocturnes de Loretteville. Le récit de l'inspecteur me rappelle un événement survenu au Moyen-Orient il y a plus de trente ans.

— Connaissez-vous l'incident de Téhéran, inspecteur?

— Pas du tout.

— Ce que vous me racontez est en tous points semblable aux événements entourant l'apparition d'une lumière très vive dans le ciel d'Iran, en septembre 1976. Les avions envoyés par l'armée iranienne ont connu exactement les mêmes problèmes que ceux qui se sont envolés depuis la base militaire de Valcartier ces derniers jours. Les rapports en lien avec l'incident de Téhéran ont tous été classés secrets. D'après moi, nous ne pouvons rien espérer de plus des autorités militaires canadiennes.

— On m'a dit que les agents du NORAD étaient déjà sur le coup, ronchonne Constantin Lorrain, manifestement contrarié par les bâtons que les grandes instances gouvernementales lui mettent dans les roues.

— Alors, il vaut mieux être prudent.

— C'est ce que je pense aussi. Nous nous frottons à des instances qui préféreraient que nous n'ayons rien vu. Ceci dit, je compte sur vous pour tirer les vers du nez d'Olivier et pour me tenir au courant de tout ce que vous apprendrez en lien avec les événements qui nous occupent.

Quand l'inspecteur me raccroche au nez, je n'ai plus le moindre doute quant à l'origine extraterrestre des objets qui sont apparus dans le ciel de Québec.

24

Loretteville, 9 h 41

Avant de rendre visite à Olivier, je décide
de retourner là où toute cette histoire a
commencé. Je me rends donc au château
d'eau de Loretteville devant lequel je gare
ma voiture. L'hiver transforme le paysage et
le petit bâtiment de pierres et de cuivre, tout
enneigé, ressemble au repaire d'un mystérieux
magicien. Je prends quelques photographies,
me promène aux alentours et, comme aucun
éclair de génie ne me traverse l'esprit, remonte
en voiture. Je m'apprête à quitter cet endroit
quand je remarque un homme entièrement
vêtu de noir qui se tient à l'entrée du sentier
pédestre aménagé dans le secteur. Parfaitement immobile, il porte des verres fumés et je
devine malgré ses lunettes que son regard est
braqué sur moi. Dès que je soulève mon téléphone pour le prendre en photo, il disparaît

à travers les arbres. J'essaie de faire taire la voix du paranoïaque qui sommeille au creux de moi, mais je ne réussis pas à lui faire avaler que l'apparition de cet homme est un hasard. Je pourrais me lancer à sa poursuite, mais je n'ai pas envie d'une aventure rocambolesque à quelques heures de mon départ pour Ottawa.

Après avoir verrouillé les portières de ma voiture, je quitte les lieux pour retourner à l'école des Ursulines de Québec. La neige rend l'endroit merveilleusement duveteux, comme si de l'ouate était tombée du ciel. Au moment de pénétrer dans l'établissement, j'utilise mon téléphone pour communiquer avec Sylvie Boisclair et lui annoncer ma venue. La réceptionniste met beaucoup de temps à acheminer mon appel, mais je réussis tout de même à joindre l'enseignante.

— Vous êtes dehors? dit-elle d'une voix angoissée. Ne bougez pas, je vous rejoins.

Sans même prendre la peine d'enfiler un manteau, Sylvie Boisclair apparaît sous l'arche pittoresque de la porte principale. Elle me repère rapidement et court jusqu'à ma voiture en jetant de fréquents coups d'œil derrière elle. Hors d'haleine, les joues rosies par la course, elle s'engouffre dans le véhicule.

— Vous avez appris la nouvelle? dit-elle dans un souffle.

— Laquelle, au juste?

— Les parents du petit Jacob sont morts tous les deux dans l'écrasement du téléphérique de la chute Montmorency! C'est terrible, n'est-ce pas?

— Vous êtes sérieuse?

Elle darde sur moi un regard noir.

— Vous croyez vraiment que je plaisanterais sur un tel sujet?

— C'est terrible, en effet. Comment va-t-il?

— Je ne l'ai pas revu depuis le drame. Les funérailles auront lieu dans trois jours. Vous y serez?

— Malheureusement, je serai à l'extérieur quelque temps. Vous les connaissiez, ses parents?

— Je les ai rencontrés à quelques reprises seulement. Des gens charmants! C'est tellement triste! Quand je pense que sa mère attendait un autre enfant…

La nouvelle me coupe le souffle et j'ai du mal à cacher ma stupeur. On n'a repêché que trente-deux corps dans le bassin de la chute Montmorency, alors qu'Indrid Cold avait annoncé trente-trois victimes. Je comprends que la trente-troisième se trouvait toujours dans le ventre de sa mère. Cette révélation a un goût affreusement amer.

— Vous ne le saviez pas? demande Sylvie

dont les sourcils s'arquent jusqu'au milieu du front.

— Non, je n'étais pas au courant.

— Monsieur Saint-Clair, je vous en prie, dites-moi si la mort de ces pauvres gens a quelque chose à voir avec l'affreuse créature que Jacob dessinait sans cesse.

Je ne sais pas quoi répondre. D'après London, l'homme-phalène n'est pas coupable des tragédies qu'il annonce, mais je peux difficilement dire à cette femme qu'il n'a rien à voir avec les tragiques événements.

— C'est possible, mais je n'en ai toujours pas la certitude, dis-je en me massant les tempes. Madame Boisclair, savez-vous quel emploi occupaient les parents de Jacob avant de mourir?

— Je crois que sa mère ne travaillait plus depuis la naissance du petit, affirme Sylvie. Quant à son père, il était l'un des hauts dirigeants d'une grande aluminerie. Je m'en souviens parce que cette entreprise a fait la manchette l'année dernière comme l'une des pires pollueuses au pays. On raconte qu'il avait lui-même loué le téléphérique de la chute au bénéfice d'un groupe de ses plus importants clients.

— C'est exact, dis-je, me souvenant des propos tenus quelques jours plus tôt par l'inspecteur Lorrain. Une dernière chose, madame

Boisclair, auriez-vous remarqué la présence de rôdeurs dans les environs de l'école, ces derniers jours ?

Ma question transforme l'air affligé de l'enseignante en une mine catastrophée.

— Des rôdeurs ? répète-t-elle en grimaçant.

— Des hommes entièrement vêtus de noir. Ils cachent toujours leurs yeux derrière des lunettes de soleil et portent souvent une mallette de cuir.

Sylvie prend le temps de réfléchir.

— Non, je n'ai vu personne qui ressemble aux hommes que vous décrivez, répond-elle enfin, mais je vous jure d'ouvrir l'œil !

— Si vous les apercevez dans les parages, auriez-vous la gentillesse de communiquer avec moi ?

— Je ne devrais pas plutôt alerter les policiers ?

L'enseignante fait preuve d'une froide logique. Pour elle, rien ne compte plus que la sécurité des enfants à qui elle fait la classe.

— Alors, appelez-moi tout de suite après eux.

Nous nous serrons la main et elle descend de ma voiture pour courir vers l'école sous les flocons qui dansent.

***

— Tu pars pour Ottawa? s'étonne Julien quand je lui passe un coup de fil alors que je roule en direction de la résidence d'Annette Bédard.

— Je dois en savoir plus au sujet de cette créature et Jonathan London est la seule personne qui puisse m'apprendre ce que j'ai besoin de connaître.

— Je t'accompagnerais bien, mais j'ai trop de boulot. Tu reviens quand?

— Dans quelques jours. Je te tiendrai au courant.

— Amuse-toi bien! jette mon ami alors qu'il s'apprête à raccrocher.

Quelque chose me chicote depuis le soir où Olivier a momentanément disparu. Je me lance sans trop réfléchir.

— Julien? dis-je en haussant la voix.

— Quoi?

— Tu sais, quand nous roulions vers la maison de Violette, l'autre soir…

Il ne dit rien. Je suppose que le sujet l'indispose.

— J'ai vérifié, dis-je doucement. Il n'y a eu aucune éruption solaire dans les derniers mois.

— Et alors?

— Ta théorie d'implacable sceptique ne tient plus.

— Il doit donc y avoir une autre explication.
C'est tout?

Je me dis qu'il vaut mieux crever l'abcès.

— Tu as fait une drôle de tête quand tu as
vu la lumière. En fait, tu as paralysé. Ensuite,
tu as dit que tu m'expliquerais…

À l'autre bout du fil, Julien se force à rire.

— Bah! Ce n'est rien, mon vieux, dit-il sur
un ton qui me paraît faussement joyeux.

Il y a anguille sous roche, mais je suis prêt
à arrêter de le cuisiner. Je fais néanmoins une
dernière tentative.

— Je ne te crois pas, dis-je platement.

Un silence de plusieurs secondes transforme
cet appel en un véritable instant de malaise. À
moins que mon téléphone ne soit à nouveau
en panne.

— Félix, dit finalement Julien, tu es toujours là?

— Bien sûr.

Nouveau silence.

— Cette histoire me fait très peur, finit-il
par avouer d'une toute petite voix.

Pour un garçon aussi orgueilleux, un tel aveu
est forcément douloureux.

— À moi aussi, ne t'en fais pas.

J'essaie de le rassurer, mais je sens qu'il ne
m'écoute pas.

— Ça me rappelle quelque chose que j'ai vécu quand j'étais petit. Un événement désagréable.

Le chat sort du sac.

— De quoi parles-tu, Julien?

Il hésite avant de répondre.

— J'ai toujours essayé de me convaincre que ce n'était qu'un rêve, mais quelque chose en moi refuse que ce soit aussi facile. Je me demande encore si c'était une sorte de rencontre du troisième type.

25

Wendake, 11 h 30

Julien refuse de m'en dire plus, mais il me promet de tout me raconter quand je serai de retour de ma virée ontarienne. Je rempoche mon téléphone au moment où j'immobilise ma voiture devant la résidence d'Annette Bédard. Je descends, traverse l'allée d'un pas vif et grimpe les quelques marches qui mènent au porche. La neige piétinée s'est transformée en une fine couche de glace et je me retiens à la rampe pour ne pas perdre pied. Annette m'ouvre avant même que je frappe à sa porte.

— Monsieur Saint-Clair? dit-elle en fronçant les sourcils.

— Je suis heureux de vous revoir, madame Bédard.

— C'est bien vous?

Elle plisse les yeux et me détaille des pieds à la tête. Je n'ose pas croire qu'elle me prenne à nouveau pour un des hommes en noir.

— Vous êtes ici pour eux? marmotte-t-elle en désignant l'autre bout de la rue d'un mouvement du menton.

À la dérobée, je jette un coup d'œil par-dessus mon épaule. Au bout de la rue opposé à celui par lequel je suis arrivé, je remarque une voiture noire aux feux éteints. De là où je me trouve, il m'est difficile d'en être certain, mais le véhicule pourrait bien être celui des deux hommes en noir qui sont venus chez moi le matin même. J'ai subitement le goût irrépressible qu'Annette m'invite à entrer.

— J'ignorais qu'ils étaient là, dis-je entre mes dents serrées. Sont-ils venus jusqu'ici?

— Non…

— Je peux entrer?

— Je peux voir votre carte de presse?

La demande de la femme m'exaspère, mais je comprends tout de même qu'elle craigne de me laisser entrer chez elle sans être sûre que je sois celui que je prétends être. Je lui tends ma carte qu'elle étudie à peine avant de s'écarter pour me laisser entrer. Une grosse valise se trouve tout près de la porte et je constate qu'Annette porte ses bottes et un manteau.

— Vous vous apprêtiez à sortir?

— Je vais passer quelques jours chez ma sœur. Je n'ai pas beaucoup de temps, monsieur Saint-Clair. Que puis-je faire pour vous ?

Elle me force à aller droit au but.

— Avez-vous revu l'homme-phalène dans le boisé arrière depuis notre entretien ?

Pour toute réponse, la femme secoue la tête, mais je ne peux m'empêcher de lui trouver un air bizarre. Elle a le teint grisâtre, les traits tirés et l'œil éteint. Nul besoin d'être fin psychologue pour comprendre qu'elle ne va pas bien.

— Comment allez-vous, madame Bédard ? dis-je en posant ma main sur son avant-bras.

Mon évidente sympathie fait remonter en elle un peu de ce qui la chiffonne autant. Une larme glisse sur sa joue, qu'elle écrase d'un geste impatient.

— J'ai peur, voilà tout, bougonne-t-elle. Cet homme ne me lâche pas d'une semelle ! Sa voiture va et vient dans le quartier et, le soir, je le vois qui se tient devant la maison et qui regarde vers la fenêtre de ma chambre.

— Vous avez prévenu la police ?

— Évidemment, mais ils n'ont jamais vu la voiture ! Elle disparaît juste avant que la patrouille s'amène.

— Qu'en pense votre mari ?

— Il dit que j'ai trop d'imagination et que je devrais voir un médecin au plus vite. Fidèle à son habitude, il fait comme si mes problèmes n'existaient pas.

Je n'ai pas envie que notre échange se transforme en thérapie conjugale et je préfère occulter cet aspect des confidences de la femme.

— Vous permettez que j'en glisse un mot à un policier que je connais bien ?

— Faites ce que vous voulez. J'espère seulement qu'à mon retour, toute cette affaire sera bel et bien terminée.

Elle attrape sa valise et pose sa main sur la poignée comme si elle s'apprêtait à ouvrir la porte. Elle tourne vers moi son regard délavé par la fatigue et l'angoisse.

— Vous m'excuserez, monsieur Saint-Clair, mais ma sœur m'attend.

— Je comprends.

— Vous accepteriez de m'accompagner jusqu'à ma voiture ?

— Avec plaisir, dis-je en m'approchant de la sortie.

Annette ne bouge pas. Sa main semble figée sur la poignée. Elle ouvre la bouche à quelques reprises, mais ne prononce aucun mot. Au bout de quelques secondes, elle se décide enfin à parler.

— Comment avez-vous appelé cette créature, tout à l'heure ?

— L'homme-phalène.

— Je n'avais jamais entendu ce nom.

— C'est ainsi que les chercheurs de bêtes mystérieuses l'appellent.

La femme dépose sa valise et s'appuie au battant de la porte. Ses yeux sont accrochés aux miens et j'ai l'impression qu'elle est en train de jauger la noblesse de mon âme.

— J'ai beaucoup réfléchi à ce que j'ai vu ces derniers jours, dit-elle tout bas. Une nuit, certains souvenirs me sont revenus en mémoire.

Intrigué, je croise les bras sur ma poitrine et m'appuie au mur du hall d'entrée pour mieux l'écouter.

— Mon grand-père était un homme très sage, une sorte de chaman parmi les Hurons, me confie-t-elle. À l'âge que j'ai, vous imaginez bien que le pauvre homme est mort depuis longtemps !

Elle laisse échapper un rire triste.

— Quand j'étais petite, mon grand-père me racontait toutes sortes de légendes qu'il tenait de son père et de son propre grand-père. Il s'agit de vieilles histoires amérindiennes, de récits dont l'origine se perd dans la nuit des temps. J'aimais tout particulièrement qu'il me parle de l'oiseau-tonnerre.

— L'oiseau-tonnerre ?

— Un oiseau mythique auquel il croyait dur comme fer ! Mes souvenirs sont un peu flous, mais il parlait d'un oiseau aux ailes immenses et au regard de feu doté de pouvoirs magiques, qui n'apparaissait que très rarement aux hommes. D'après certains vieux sages, ces oiseaux ont disparu un peu avant l'arrivée des Européens en Amérique, mais mon grand-père était persuadé qu'ils se cachent tout simplement de l'homme moderne.

— Ainsi, vous croyez que l'oiseau-tonnerre vous a rendu visite ?

— À vrai dire, je n'en sais rien, mais je préfère croire qu'il s'agit de l'oiseau dont parlait mon grand-père, plutôt que d'un démon ancien ou d'une créature des ténèbres. Oui, j'aimerais qu'il s'agisse de l'oiseau géant qui provoque le tonnerre d'un battement d'ailes et dont les yeux lancent des éclairs.

***

Olivier dort à poings fermés quand j'entre dans sa chambre d'hôpital. Sous le drap qui épouse son corps, on jurerait qu'il est désarticulé, comme une marionnette abandonnée au fond d'un coffre à jouets. Puisque sa position peu orthodoxe m'indispose, je me hâte de le réveiller. Le garçon ne sursaute pas quand je lui tapote l'épaule. Il ne fait qu'ouvrir ses yeux qui, grâce au ciel, sont d'un blanc virginal.

— Je savais que vous viendriez, dit-il, la bouche pâteuse.

— Je ne rate jamais une bonne histoire.

Il sourit par politesse, mais il est manifeste qu'il n'a pas le cœur aux civilités. Il se redresse sur un coude et secoue l'un de ses oreillers de l'autre main, sans arriver à lui redonner du moelleux. Il renonce et me demande de fermer la porte de sa chambre. Comme je vais obtempérer, je remarque une grande tache brune à l'aspect repoussant sur sa joue, mais je m'abstiens de tout commentaire sur le sujet.

— S'ils entendent ce que j'ai à vous dire, les médecins vont me prendre pour un fou, marmonne-t-il.

— Vous avez vu votre mère, Olivier ?

— On m'a dit qu'elle venait, mais elle n'est toujours pas arrivée.

Une chaise recouverte de vinyle d'un jaune douteux se trouve tout près de lit. Je la dispose de façon à ce que nous soyons face à face et m'y installe.

— Je vous écoute, dis-je en extirpant mon calepin de notes de la poche intérieure de mon manteau.

Il ferme les yeux et se frotte le visage pour mieux se réveiller. Avant de commencer son récit, il s'assoit sur le rebord de son lit et laisse ses jambes pendre dans le vide.

— Violette et moi nous trouvions au salon quand la lumière est apparue, dit-il à voix basse.

— Je faisais route vers sa maison quand c'est arrivé. J'ai vu la lumière, moi aussi.

— Elle pénétrait par toutes les fenêtres de la maison. Je n'ai jamais vu une telle clarté ! C'était comme si toute la lumière de la création avait été condensée en un seul endroit. Je n'arrivais plus à garder les yeux ouverts.

— Avez-vous vu d'où elle provenait ?

— Non. Elle entrait par les fenêtres et par les interstices des portes ! J'avais même l'impression qu'elle filtrait à travers les murs pour pénétrer chaque fibre de mon corps. Aveuglé, je ne pouvais plus voir autour de moi ni Violette ni les pièces de mobilier qui m'entouraient, pas même mon propre corps !

Je voudrais bien griffonner quelques notes, mais je suis à ce point absorbé par le récit d'Olivier que je n'arrive pas à détacher mon attention pour en faire le résumé.

— Avez-vous déjà éprouvé pareille sensation ? poursuit-il en tendant ses mains devant lui. Je croyais que mon corps s'était volatilisé pour ne laisser place qu'à mon âme glacée. Je ne sentais plus le sol sous mes pieds, j'étais en apesanteur !

— Comment êtes-vous sorti de la maison ?

— Je n'en sais rien. J'ai été aspiré par la lumière.

— Il a tout de même fallu que vous ouvriez la porte! dis-je, pragmatique.

— Je n'en ai pas le moindre souvenir. Je vous le répète, Félix, plus rien n'existait autour de moi.

Si je n'avais pas moi-même été témoin d'inexplicables phénomènes, je n'arriverais pas à gober ce qu'il raconte.

— C'est à ce moment que j'ai entendu la voix d'Indrid Cold. Jusqu'à cet instant, je n'avais pas ressenti la peur. Juste un étrange sentiment d'abandon.

— Que vous a-t-il dit?

— Qu'il devait bientôt rentrer chez lui.

— Où ça?

— Il a dit qu'il vient d'une planète appelée Lanulos.

Ce mot étrange me fait l'effet d'une décharge électrique, mais j'essaie de ne rien montrer de mon inconfort.

— Avez-vous pu voir son visage?

— Seulement la forme de son corps. Je ne distinguais qu'une silhouette légèrement plus sombre à travers la lumière incandescente qui nous entourait.

— Vous étiez seul avec lui?

— Je crois. Je ne voyais pas grand-chose.

Olivier glisse au bas du lit et fait quelques pas en direction de la fenêtre. Ses pieds nus foulent le sol lustré et il semble éprouver une indicible satisfaction à ressentir la fraîcheur du carrelage.

— Cold a-t-il dit autre chose ?

— Bien sûr, répond-il maintenant qu'il me tourne carrément le dos. C'est là le plus inquiétant.

Le silence s'installe entre nous. Je jurerais qu'il dure presque une minute entière.

— Il ne reste plus beaucoup de temps avant qu'ils frappent à nouveau, ajoute Olivier en se retournant lentement vers moi. Ils veulent que le monde sache ce qui se passe.

— Et que se passe-t-il, Olivier ?

— Les hommes de Lanulos sont mécontents du traitement que nous réservons à notre planète. Ils s'apprêtent à retourner chez eux, mais, quand ils reviendront, ce sera pour reprendre la Terre. C'est ça qu'ils souhaitent annoncer à l'humanité.

— Ont-ils dit quand ils reviendront ?

Il secoue la tête.

— Il a seulement dit que le voyage était long et que, le moment venu, ils réapparaîtraient de l'autre côté du monde, au-dessus des grandes eaux.

— Les grandes eaux ? Mais qu'est-ce que c'est ?

— Je ne sais pas à quoi il faisait allusion. Peut-être s'agit-il d'un océan !

Je m'oblige à prendre cela en note pendant qu'Olivier revient vers son lit. Je remarque alors que son regard s'est voilé et qu'il serre les poings.

— C'est à ce moment que l'oiseau est apparu.

— Vous parlez de l'homme-phalène ?

Il hoche la tête et s'étend parmi les draps chiffonnés. Il braque son visage vers le plafond et reprend son récit comme s'il ne pouvait supporter de le raconter en soutenant mon regard.

— Il a fondu sur moi et m'a emporté dans un effroyable tourbillon, affirme-t-il d'une voix chevrotante. La lumière s'est éteinte, le monde est réapparu et tout s'est mis à tourner. C'est là, je crois, que j'ai perdu connaissance.

— Où vous a-t-il emmené ?

— Vous ne comprenez pas...

Olivier se couvre les yeux de son avant-bras.

— Il ne m'a emmené nulle part, souffle-t-il au bout d'un moment. Indrid Cold m'avait enlevé et c'est cette créature ailée qui m'a ramené chez Violette.

— Vous avez croisé son regard ?

— Oui. Ses yeux n'avaient rien à voir avec les globes rouges que j'ai aperçus à la chute

Kabir Kouba. Non… ils étaient d'un mauve pénétrant.

Olivier porte la main à l'étrange tache boursouflée qu'il a sur la joue et l'effleure d'un doigt tremblant.

— Les nouvelles sont mauvaises, dit-il en me regardant de nouveau. Cette tache est apparue pendant la nuit. Le médecin est formel, elle n'y était pas quand je suis arrivé aux urgences. D'après lui, c'est un mélanome, une sorte de cancer de la peau. Je subirai plus tard une multitude d'examens médicaux, mais on s'explique mal comment la maladie peut se montrer aussi fulgurante.

26

Québec, 16 h

Je jette négligemment quelques chandails, jeans et sous-vêtements dans un sac de voyage, pendant que Troodie me tourne autour. Après avoir rempli deux écuelles de moulée et disposé de nombreux bols d'eau à l'intention de ma chatte, je m'assure que les fenêtres de mon appartement sont fermées et j'éteins les lumières. Je ne quitte mon domicile qu'après avoir consacré plusieurs minutes à gratter les oreilles de Troodie, qui ronronne malgré le déplaisir qu'elle éprouve à me voir partir.

Le soleil s'apprête à disparaître derrière l'horizon quand je monte dans ma voiture. Je charge mon bagage dans le coffre, dépose mon téléphone dans le porte-gobelet et me tortille pour enlever mon manteau, que j'envoie valser sur la banquette arrière. J'ai plusieurs heures de route à faire avant d'atteindre Ottawa et je choisis la musique légèrement planante de Rhye pour m'accompagner. Comme le froid de l'hiver naissant me fait frissonner, je règle le chauffage pour qu'une douce chaleur se répande rapidement dans l'habitacle.

Les murs de Québec disparaissent derrière moi et bientôt, tandis que je roule sur le pont Pierre-Laporte en direction de l'autoroute, mon regard s'attache aux contours du vieux pont de Québec, son voisin. La structure de fer, fière malgré la rouille qui la ronge depuis des années, ressemble à l'échine d'un monstre préhistorique qui se serait affaissé en travers du fleuve. Avant de m'élancer vers l'ouest, j'adresse au ciel une courte prière afin qu'il ne s'effondre plus jamais.

Devant moi, la route est pratiquement déserte. Sinueuse, la Transcanadienne s'étire ainsi jusqu'à l'autre bout du pays. Au gré des sorties qui se succèdent, les lampadaires me rappellent les étranges lumières nocturnes aperçues au-dessus du château d'eau de Loretteville. Quand je rejoins une voiture qui applique doucement les freins pour quitter l'autoroute, je ne peux m'empêcher de penser à l'homme-phalène. Les feux arrière de cette voiture évoquent pour moi ses yeux écarlates.

Je n'ai pas sommeil, mais je me sens légèrement engourdi, comme si la nuit m'avait fait prisonnier de sa langueur. Je me force à inspirer profondément, je me secoue un peu, mais rien n'y fait. Une sensation de calme comme je n'en ai pas ressenti depuis plusieurs jours m'envahit. Mes épaules se détendent, mes mains ne sont plus crispées sur le volant et la tension qui nouait mon dos s'évapore doucement.

Perdu dans mes pensées, je me repasse les événements des derniers jours. Plusieurs images virevoltent dans mon esprit embrumé : les yeux rouges d'Olivier, la carcasse de l'autobus qui gît au fond de la chute, le dessin du petit Jacob, la nacelle du téléphérique engloutie dans les eaux du bassin, l'ovni de Wendake, puis l'aéronef métallique qui menace la maison de Violette. Je suis dans un tel état second que je n'arrive pas à réfléchir correctement. Les impressions se succèdent, sans queue ni tête, ravivant dans ma mémoire certaines des images les plus troublantes qu'il m'ait été donné de voir.

Les arbres dénudés et les conifères qui bordent la route me semblent menaçants. J'ai la sensation qu'ils s'approchent de la chaussée pour former un entonnoir duquel je demeurerai à jamais prisonnier. À mesure que je progresse, la fine couche de neige qui recouvrait Québec disparaît pour laisser réapparaître l'herbe séchée par le froid de l'automne. Du coup, tout autour de moi, la nuit est plus noire, plus mystérieuse, et elle m'enrobe comme une nappe de goudron.

Emportées par la musique enivrante et la route hypnotique, mes méninges épuisées renoncent à chercher un sens à l'affaire où je suis engagé. Certaines des paroles prononcées par Olivier quand je lui ai rendu visite à l'hôpital me reviennent par bribes. Il prétend avoir baigné dans cette intense lumière pendant plusieurs minutes, mais Julien et moi n'avons vu qu'un flash qui s'est évanoui après quelques secondes. Quant à Violette, elle semble désorientée lorsqu'elle doit raconter l'événement.

Peut-on être emporté par une simple lumière? Y a-t-il de la vie à l'extérieur de notre système solaire? Est-il possible que des créatures habitent notre planète tout en demeurant inconnues des hommes? Les catastrophes écologiques qu'on nous annonce sont-elles réelles et, si elles le sont, seraient-elles encore plus imminentes que le prévoient les scénarios les plus alarmistes? L'humanité se serait-elle montrée insouciante au point de provoquer la colère d'un peuple venu d'une autre galaxie?

Lanulos. Indrid Cold. R. C. Christian. L'homme-phalène.

Mon esprit mélange tout et s'embrouille. Interminable et merveilleusement monotone, la route obscure continue de défiler devant moi. Les lampadaires s'approchent et disparaissent de mon champ de vision, les panneaux de signalisation se succèdent sans que j'arrive à lire ce qui y est écrit.

Je suis suffisamment conscient des pensées qui m'habitent pour craindre de perdre la raison. Mon état est critique. Je devrais m'arrêter en bordure de la route, prendre mon téléphone et appeler quelqu'un pour qu'on vienne me chercher, mais je ne le fais pas.

Et je ne sais pas pourquoi.

***

Je gare ma voiture entre deux autres véhicules et coupe le moteur. Sans même prendre mon manteau qui gît toujours sur la banquette arrière, j'ouvre la portière et pose un pied au sol. Il pleut et le pavé est aussi lustré qu'un miroir. Le corps ankylosé et l'esprit engourdi par une aussi longue distance que j'ai franchie sans le moindre arrêt, je me déplie lentement en gardant les yeux obstinément tournés vers le sol.

Un froid humide me prend aux os, mais je ne m'en soucie guère. Je perçois un bruit sourd, mais constant, qui paraît lointain sans l'être et qui ressemble à celui d'une mer déchaînée. Des gouttelettes de pluie glacée s'écrasent sur mon visage, tandis qu'un vent sournois me fouette sans ménagement. Sa morsure me force à me ressaisir et c'est alors que je regarde autour de moi. Hébété devant ce que j'aperçois, je fais quelques pas et rejoins une solide rambarde de béton et de fer.

Elles sont devant moi, puissantes, sauvages et immenses. Des projecteurs multicolores illuminent ses torrents brumeux, tandis que des édifices de plusieurs étages les entourent comme d'immuables gardiens.

— C'est impossible, dis-je, les jambes soudain flageolantes. Que s'est-il passé ?

Je consulte ma montre. Il est 20 h 34.

Je me tiens devant un mur d'eau impétueux, colossal et majestueux. Ce sont les chutes du Niagara.

27

— C'est impossible! Impossible!

Je suis glacé jusqu'aux os, mais je n'arrive pas à détacher mon regard des chutes. Pris de panique, j'ai le goût de hurler, mais je retiens le cri qui me monte à la gorge. Deux jeunes filles s'approchent et s'appuient à la rambarde pour observer le spectacle. Elles me jettent de timides œillades et ricanent en se cachant dans leur foulard. Je sais pertinemment qu'elles se moquent de moi, mais j'ai besoin de vérifier auprès d'elle si je ne suis pas devenu complètement fou.

— Quelle heure est-il?

L'une d'elles confirme que ma montre tient toujours le temps.

— Et quel jour on est?

Elles me regardent toutes les deux avec un drôle d'air, mais finissent par me répondre à l'unisson. Elles s'éloignent de moi sans me laisser le temps de leur poser d'autres questions. Transi de froid, je retourne vers ma voiture comme un automate et pousse le chauffage à fond.

— Qu'est-ce qui s'est passé? dis-je dans un murmure.

Je prends ma tête entre mes mains et ferme les yeux dans l'espoir que, lorsque je relèverai les paupières, tout sera redevenu normal.

— Maintenant, je vais ouvrir les yeux et me trouver devant le parlement d'Ottawa.

Les chutes, spectaculaires, refusent de disparaître. J'ai quitté Québec il y a un peu plus de quatre heures, maintenant. Il est impossible que j'aie pu franchir les quelque neuf cents kilomètres qui séparent la vieille capitale de la région de Niagara en si peu de temps. Ébranlé, je passe un coup de fil à l'homme que je devais rencontrer ce soir, Jonathan London.

— Que faites-vous à Niagara Falls? s'étonne-t-il quand je lui apprends la nouvelle.

— Je n'en sais rien…

Je devrais me sentir ridicule d'affirmer une telle chose, mais je suis trop choqué pour me soucier de l'opinion qu'on se fait de moi. J'apprends au cryptozoologue que je viens de franchir une distance impressionnante en un temps record.

— C'est très inquiétant, Félix. Êtes-vous certain d'être parti vers les seize heures, et pas avant?

— J'en jurerais.

— J'en conçois donc que votre présence là-bas n'est pas accidentelle, affirme-t-il sentencieusement. On vous a forcé à vous y rendre.

— Mais qui donc? Ne me dites pas que les extraterrestres…

— L'homme-phalène, Félix. Il s'est montré à vous et maintenant il demande votre aide.

C'est parfaitement farfelu, mais, comme je suis en train de perdre tous mes repères, je suis prêt à avaler les assertions de Jonathan London.

— Je pars tout de suite, Félix. Dans quelques heures, je vous rejoindrai à votre hôtel. Où êtes-vous descendu?

Le cryptozoologue ne mesure pas l'ampleur de ma stupéfaction. Il ne peut pas imaginer dans quel état d'hébétude je me trouve.

— Je vais aller voir s'il y a une chambre disponible au *Marriott*, dis-je en apercevant l'enseigne lumineuse de l'établissement dans mon rétroviseur.

— J'y serai au milieu de la nuit. Nous nous parlerons demain matin. D'ici là, essayez de prendre un peu de repos et, surtout, soyez très prudent.

Quand London met fin à la communication, il n'y a pas plus seul au monde que moi.

***

— Vous avez de la chance, dit joyeusement le concierge de l'hôtel. Il ne reste qu'une seule chambre disponible. Vous y aurez une vue imprenable sur les chutes !

Ses vêtements impeccables, sa coiffure irréprochable et la fraîcheur de son teint contrastent épouvantablement avec ma gueule de déterré.

— Vraiment ? Je ne pensais pas que les chutes du Niagara étaient un endroit prisé des touristes en plein mois de décembre !

L'homme fronce les sourcils et sourit d'un seul côté de la bouche.

— Ce n'est donc pas la manifestation qui vous amène dans notre belle région ?

— Une manifestation ?

Je suis peut-être journaliste, mais cette nouvelle m'a échappé. Il est vrai que j'avais d'autres chats à fouetter.

— Des milliers de personnes sont attendues demain, tant du côté canadien que du côté américain de la rivière, m'apprend l'employé en me rendant ma carte de crédit. Il est vrai que l'annonce du gouvernement des États-Unis a de quoi faire réagir…

— À quoi ces gens désirent-ils s'opposer ?

— Une partie des eaux de la rivière Niagara est détournée depuis longtemps vers d'importantes centrales hydroélectriques, m'explique l'homme. Toutefois, l'État de New York vient d'annoncer que des besoins criants en électricité l'obligent à détourner toujours plus d'eau, ce qui causera l'extinction des chutes américaines. On assure que c'est une situation temporaire et que le détournement ne durera que quelques années, mais ça déplaît à bon nombre de gens.

Ce que révèle le concierge est absolument ahurissant.

— Vous voulez dire qu'il n'y aura plus une seule goutte d'eau qui coulera sur cette paroi ?

— Si les Américains mettent leur projet à exécution, en effet.

— On peut vraiment détourner autant d'eau ?

— Si ma mémoire est bonne, on l'a déjà fait en 1969, répond-il en fouillant dans un présentoir déposé sur le comptoir qui nous sépare. Voici un dépliant qui vous en apprendra un long chapitre sur l'histoire des chutes. C'est votre premier séjour à Niagara Falls ?

Pour toute réponse, je hoche la tête.

— En quelque sorte, on peut dire que vous avez de la chance. Il y aura beaucoup d'effervescence ici, et ce, dès demain matin. Vous connaissez le *Maid of the Mist*?

Les yeux rivés au feuillet, je secoue distraitement la tête.

— C'est un navire qui amène les gens au centre du fer à cheval, c'est-à-dire jusqu'au pied des chutes canadiennes, m'explique le concierge. La vue y est spectaculaire! D'octobre à avril, le bateau n'est jamais en service, mais, demain, en guise de protestation contre la décision de nos voisins du sud, il sera à quai. Pour l'occasion, la croisière est gratuite. Il y aura certainement des centaines de personnes intéressées, mais vous devriez tout de même essayer de vous faufiler!

28

Niagara Falls, 0 h 02

Je n'ai pas sommeil. C'est peut-être parce que, au volant de ma voiture, pendant quatre heures volées à notre espace-temps, je me suis trouvé dans un état proche de la léthargie.

Installé confortablement dans ma chambre devant la baie vitrée qui donne sur les chutes du Niagara, je triture nerveusement le dépliant touristique que m'a remis le concierge. Obnubilé par le spectacle sensationnel qui s'offre devant moi, je reste là, bouche ouverte, à regarder couler les cataractes. Les lumières qui colorent les chutes s'éteignent subitement sous mes yeux et plongent la rivière dans le noir. Pour égayer cette étrange nuit, il ne reste plus que les lumières scintillantes des dizaines d'hôtels et casinos qui entourent la cascade. Il y a bien quelques curieux qui errent sur la promenade bordant la rivière, mais, dans l'ensemble, l'endroit est plutôt calme.

Une main toute-puissante m'a guidé jusqu'ici. Je m'explique mal comment un tel miracle est possible, mais j'ai avalé des kilomètres et des kilomètres en la moitié du temps qu'il m'aurait normalement fallu pour le faire. Pour la troisième fois en quelques jours, je me retrouve devant des chutes. Je pense à ma première conversation téléphonique avec Olivier et une phrase qu'il répétait sans cesse me fait frissonner.

Quelque chose d'affreux va se produire.

Aujourd'hui, je suis celui qui a cette intime conviction et je sais que la peur glacée qui me lacère les entrailles me gardera éveillé toute la nuit.

***

Jonathan London est un homme de grandeur moyenne, dont le corps svelte et musculeux se perd dans les vêtements trop amples qu'il se plaît à porter. Ses cheveux blancs et ses yeux d'un bleu de glace lui confèrent, plus encore en personne qu'à travers la caméra web de mon ordinateur, l'allure d'un elfe. Puisque j'ai loué la dernière chambre du *Marriott*, le cryptozoologue a dû descendre à une autre adresse, mais il me rejoint en milieu d'avant-midi pour casser la croûte. La salle à manger de l'hôtel donne directement sur les chutes et c'est avec ce fabuleux panorama pour toile de fond que nous discutons des derniers événements.

— L'homme-phalène vous a choisi, Félix, affirme London en dévorant une gargantuesque platée de crêpes aux bleuets. C'est lui qui a voulu que vous atterrissiez ici.

— Connaissez-vous une créature qu'on appelle l'oiseau-tonnerre?

London cesse de mastiquer et braque sur moi son regard polaire. Il semble surpris de m'entendre évoquer cette créature mythique.

— Qui vous a parlé de l'oiseau-tonnerre?

— Une femme de Wendake qui tient cette légende de la bouche de son grand-père.

— Ces gens sont des autochtones, n'est-ce pas?

— En effet.

London dépose ses ustensiles et se cale dans son fauteuil.

— L'oiseau-tonnerre est un mythe qui appartient aux Premières Nations d'Amérique du Nord. On le retrouve dans presque toutes les mythologies des différentes tribus du continent. Au Mexique, les peuples aborigènes parlent des sikals, des hommes noirs capables de voler. Au Tibet, on l'appelle khyung. En

Orient, une créature possédant les mêmes attributs existe également. Les Indiens la nomment le garuda et l'associent aux divinités Vishnu et Krishna.

La culture de Jonathan London m'impressionne. Cet homme est une véritable encyclopédie ambulante.

— Les Indiens Dakota décrivent le piasa – c'est le nom qu'ils lui donnent – comme un oiseau géant aux yeux rouges terrifiants. Le plus intéressant dans tout ça, c'est que ces peuples, dont certains sont séparés par des milliers de kilomètres et même des océans, s'accordent pour décrire cette créature de la même façon. Sa venue s'accompagne souvent de bourdonnements qui vont de l'infrason à l'ultrason, sans parler de son regard si singulier qui passe de l'ultraviolet à l'infrarouge.

Cela explique pourquoi certains témoins des apparitions de l'homme-phalène affirment que ses yeux sont rouges, tandis que d'autres les voient mauves. La créature saurait moduler son regard et le faire passer par le spectre complet de la lumière.

— Selon vous, ces différents oiseaux seraient tous des représentations différentes de l'homme-phalène?

— C'est effectivement ce que je crois. Plus tard, l'Église catholique fera de ce grand oiseau l'un des multiples visages de son principe démoniaque. Comme vous pouvez le constater, l'homme-phalène est connu de l'humanité depuis la nuit des temps.

— C'est étonnant qu'on ne le voie pas plus souvent...

— Détrompez-vous, Félix. Le garuda a été vu à plusieurs reprises. En novembre 1963, dans le Kent, en Angleterre, une bande de jeunes hommes ont affirmé avoir fait la rencontre d'une chauve-souris de taille humaine, peu de temps après avoir remarqué d'étranges lumières dans le ciel. On l'a aussi vu dans la région de Saint-Louis en 1948. Il survolait alors le Mississippi. Plus récemment, soit en 1973, des hommes qui marchaient dans une forêt près de Kristianstad, en Suède, ont signalé la présence d'un oiseau gigantesque, apparu à quelques mètres d'eux. Je vous ai déjà parlé de son apparition au moment de l'effondrement des tours jumelles du World Trade Center de New York...

Les événements de Québec ne tarderont pas à s'ajouter à cette infâme liste. J'essaie quand même de trouver un sens à tout cela.

— Vous avez déjà dit qu'il voulait nous protéger...

— L'homme-phalène ou le garuda, donnez-lui le nom qu'il vous plaira, agit comme protecteur de l'humanité. Il se fait le gardien de notre mère la Terre et défend la race humaine contre ses ennemis. En tout cas, c'est ainsi que les peuples autochtones le considéraient. Peut-être que sa propension à protéger notre espèce a diminué depuis que l'homme blanc s'est autoproclamé roi du monde et qu'il s'arroge le droit de tout détruire sur son passage.

— Que doit-on faire de l'avertissement que nous avons reçu ? Si nous ne tentons rien, trois cent soixante-trois personnes mourront !

— Répétez-le, je vous prie.

Dans ma tête, l'écho de la voix métallique de R. C. Christian résonne toujours. Je m'apprête à répéter l'avertissement entendu à travers le téléphone de l'inspecteur Lorrain quand une voix forte, presque tonitruante, s'élève au-dessus de la rumeur feutrée qui habite la salle à manger.

— *My friends, we have to free Hongouyarah*[1] !

La voix s'exprime en anglais, mais cela n'empêche pas London et moi de bondir sur nos pieds dans l'espoir de repérer celui qui vient de prononcer ce mot étrange. Les clients qui occupent les tables voisines de la nôtre sursautent quand nous nous levons. À l'autre bout de la salle à manger, un homme

---

1. « Mes amis, il faut libérer Hongouyarah ! » (anglais)

est debout et harangue les membres du groupe qui mangent avec lui.

— Frères et sœurs sénécas, souvenez-vous toujours que Hongouyarah nous appartient !

Je me rue vers lui sans réfléchir. Lorsqu'il voit que je m'avance vers les siens, l'homme fronce les sourcils qui surplombent son nez plat et large. Il lève la main avec autorité, mais cela ne me retient pas de progresser vers le groupe.

— Hongouyarah ! dis-je en m'arrêtant au beau milieu de la salle à manger. Dites-moi ce que ça signifie !

Tous les regards sont braqués sur moi, mais cela ne me gêne pas. L'heure est grave et je dois savoir. Pourtant, avant même qu'il ne confirme mes soupçons, au fond de moi, je sais déjà que ce mot appartient aux chutes gigantesques qui se trouvent de l'autre côté de la baie vitrée.

— C'est un mot en langue iroquoise que les Français ont transformé pour appeler cet endroit Niagara ! Onguiaahra ! Il signifie le détroit.

Il n'est plus possible d'en douter. Le drame immonde qui se prépare aura pour théâtre les chutes du Niagara.

29

Niagara Falls, 12 h 00

Un soleil éclatant brille au-dessus de la ville de Niagara Falls et c'est dans l'ombre du chef amérindien que London et moi nous rendons aux abords de la chute qu'on nomme le fer à cheval. Joe Lake, grand chef des Sénécas établis dans l'État de New York, a demandé aux siens de le suivre au Canada afin de prendre part à la manifestation.

— Le détournement des eaux de la rivière inondera nos terres ancestrales, qui se trouvent en amont de ces chutes, m'apprend-il de sa voix puissante. Nous ne pouvons tolérer pareil crime !

Armé de mon iPhone, j'enregistre les paroles du grand-chef. L'événement auquel j'assiste par accident est considérable et le journaliste que je suis ne peut pas se permettre de fermer les yeux.

Accompagné d'une cinquantaine de membres de sa nation, Joe Lake avance à travers la foule bigarrée, hérissée d'affiches, qui proteste contre le projet hydroélectrique de l'État de New York. Si les Sénécas craignent pour leurs terres, les motifs des autres manifestants sont fort différents. Les écologistes, toujours prêts à descendre dans la rue pour se faire entendre, martèlent que le détournement des eaux de la rivière aura un impact important sur la faune aquatique et que la chute canadienne, gonflée par le barrage, s'érodera d'autant plus. Les gens d'affaires, eux, craignent que l'extinction de la chute américaine ne fasse fuir les touristes, tandis que les résidents des environs refusent tout simplement qu'on les prive d'un aussi joli panorama. Des milliers de personnes sont massées tout le long du Niagara Parkway, l'artère qui longe la rivière et les célèbres chutes.

Nous nous dirigeons vers une estrade sur laquelle se tiennent déjà quelques personnes. Une femme postée derrière un microphone s'adresse à la foule et demande aux gens d'unir leur voix à la sienne afin d'exiger que les chutes du Niagara demeurent intactes. Joe Lake, auréolé de sa chevelure de jais, fonce vers la scène. Il y grimpe avec assurance et arrache le micro des mains de la femme pour faire son discours. Avec son nez camus et sa peau basanée, il a l'air d'une icône.

— Il vaut peut-être mieux nous séparer, me glisse Jonathan London à l'oreille.

— Vous avez raison, dis-je en me tournant vers lui. Ouvrons l'œil ! Il faut absolument que nous réussissions à repérer le danger avant qu'il se concrétise !

Abandonnant London derrière moi, je fends la foule et me dirige vers un banc de parc sur lequel je grimpe sans prendre garde à ceux qui y prennent place. Au loin, j'aperçois la Skylon Tower, la tour qui surplombe le détroit et offre une vue imprenable sur les chutes à ceux qui y grimpent. À son sommet, il y a même un restaurant tournant. De l'autre côté de la rivière, je remarque l'important poste d'observation bâti par les Américains tout autour du mur d'eau qu'ils s'apprêtent à éteindre. Si l'une de ces structures s'effondrait, on compterait les morts par centaines.

Mon regard glisse vers les gens appuyés à l'interminable rambarde qui borde le canyon. Si les ancrages d'une telle construction cédaient, si un morceau de la falaise à laquelle il est accroché basculait vers la rivière, les victimes seraient innombrables. Pendant que je fouille les alentours du regard, les mots de R. C. Christian me hantent.

Nous vous punirons à nouveau afin que vos maîtres comprennent qu'on ne doit jamais emprisonner l'eau. Hongouyarah, trois cent soixante-trois mourront.

***

— Regardez! s'écrie une jeune fille en pointant son index vers le soleil.

Je tourne mon regard vers le ciel en même temps que des dizaines de personnes. Tout d'abord, je n'y remarque rien d'anormal, mais, après une seconde, je vois une forme sombre qui vole devant le soleil. Il est difficile d'apprécier à quelle altitude se trouve l'oiseau; quoi qu'il en soit, il paraît gigantesque. Pendant que les autres se demandent de quoi il peut bien s'agir, pour ma part, je sais pertinemment ce qui traverse le ciel sans même battre des ailes.

À contre-jour, l'homme-phalène ressemble à n'importe quel oiseau. Si ceux qui l'observent ne remarquent pas son aspect insolite, ils s'exclament tous en mesurant l'amplitude exceptionnelle de ses ailes.

— Qu'est-ce que c'est? demande un petit garçon en tirant sur le bras de sa mère.

La mère ne répond pas, car elle ne sait pas de quoi il s'agit. Subitement, il n'y a plus que le bruit du torrent qui brise le silence régnant au sommet de la chute. La foule, stupéfaite, suit du regard le vol du grand oiseau. Une exclamation balaie l'assemblée quand la créature plonge vers le lit de la rivière.

— Il s'en va vers le bateau, hasarde un homme derrière moi. Tu as pu le prendre en photo?

Debout sur mon banc, je fais volte-face pour croiser le regard de l'homme qui vient tout juste de parler.

— Quel bateau? dis-je dans un souffle.

Tout à coup, ce qui va se passer devient parfaitement clair dans mon esprit. Hier soir, le concierge du *Marriott* me l'a dit, mais j'étais si secoué que je n'ai pas mesuré le danger qu'il représentait.

— Le *Maid of the Mist*, répond l'homme. Il ne tardera pas à appareiller.

30

Un bouchon de circulation monstre paralyse le Niagara Parkway sur toute sa longueur. Les piétons qui débouchent des avenues perpendiculaires se faufilent entre les voitures immobilisées pour rejoindre la promenade qui longe la rivière. La foule grossit de minute en minute et des centaines de curieux lèvent les yeux au ciel pour apercevoir le fantastique oiseau, que plusieurs pointent du doigt. Des manifestants tournent la lentille de leur téléphone intelligent vers le ciel dans le but d'immortaliser l'instant. Le soleil brille avec tant d'ardeur qu'il réussit à combattre le froid de l'hiver qui approche. Pourtant, ses rayons éblouissants rendent la tâche impossible à tous ceux qui espèrent capter une image de la créature. Quand l'homme-phalène se pose au sommet de la Skylon Tower, tous ceux qui l'observent poussent à l'unisson une exclamation.

Le quai du *Maid of the Mist* se trouve à plus d'un kilomètre de l'endroit où je me trouve. La foule est si dense que je ne peux pas espérer le rejoindre rapidement. Le tintamarre des klaxons me confirme que je ne m'y rendrai pas plus vite si je demande à un automobiliste de m'y amener.

C'est l'impasse de tous le côtés. Le *Maid of the Mist* larguera bientôt les amarres et, dès lors, je ne pourrai plus rien faire. Sans grand espoir d'arriver à temps pour l'empêcher de partir, je m'élance dans la foule dense. Je joue du coude et de l'épaule pour m'y frayer un chemin. Je bouscule malgré moi une fillette qui perd l'équilibre et tombe à genoux sur le bitume. Je m'en veux, mais je n'ai pas le temps de m'arrêter et je suis déjà loin quand son père se rend compte de ce qui s'est passé.

— Excusez-moi! Je dois passer! Pardon! Mais poussez-vous!

J'ai appris à me méfier de la réaction imprévisible d'une foule et j'essaie de ne pas faire trop de vagues en surnageant au milieu d'elle. Je progresse difficilement lorsque je me bute à une bande de manifestants qui brandissent des banderoles vertes. Ils sont nombreux, très bruyants, et ils forment un véritable mur humain dans cette marée anonyme. Je fonce sans ménagement dans leur groupe, mais deux jeunes hommes plutôt baraqués m'attrapent par le collet et se mettent à me malmener avec un plaisir évident. Je ne suis pas très grand et je possède la masse musculaire d'un rat de bibliothèque, mais je suis suffisamment vif et vigoureux pour convaincre les colosses de ce monde de ne pas s'en prendre à moi. Je riposte immédiatement. Cependant, une main de fer s'abat sur ma nuque et comprime impitoyablement mes vertèbres cervicales. Je commence à grimacer quand une voix résonne à mon oreille.

— Félix Saint-Clair ?

Un jeune homme grand et maigre se tient à côté de moi. Il est casqué d'une tuque de laquelle s'échappent ses longs cheveux châtains. Son visage maigre et la barbe de quelques jours qui envahit ses joues en font presque le sosie de Jésus.

— Noah Michaud !

— Lâchez-le ! dit-il à ses acolytes.

Les doigts qui me broient le cou se desserrent et mes pieds touchent à nouveau le sol.

— Qu'est-ce que vous faites là ? dis-je en gratifiant mon bourreau d'un regard assassin.

— Je suis ici avec mon groupe d'écologistes. Et vous ?

Je pointe mon index vers la Skylon Tower.

— Vous ne reconnaissez pas ce grand oiseau?

Noah tourne un œil de biche effarouchée vers la haute structure et porte une main à son cœur.

— Aidez-moi! dis-je en l'attrapant par la manche de son manteau. Je dois me rendre jusqu'au quai du *Maid of the Mist*.

Noah n'hésite pas une seconde; il me précède dans la foule. Il oblige les gens à s'écarter en criant qu'il s'agit d'une urgence. Je le suis pas à pas comme s'il agissait pour moi en tant que garde du corps.

Le survivant de la chute Kabir Kouba quitte l'esplanade qui surplombe la rivière et revient vers la route où se tiennent cinq policiers. Postés autour d'une voiture de patrouille, ils observent les mouvements populaires, pendant que l'un d'eux, radio à l'oreille, reçoit vraisemblablement des ordres. Je cours vers eux et m'adresse au premier dont je croise le regard.

— Il faut empêcher le *Maid of the Mist* d'appareiller! Un terrible accident va se produire!

Les officiers me regardent comme si j'étais un hurluberlu. Deux d'entre eux se paient manifestement ma tête pendant que le premier essaie de me calmer. Toujours à mes côtés, Noah en rajoute en expliquant aux policiers qu'il a vu le grand oiseau juste avant que l'autobus à bord duquel il prenait place plonge dans une chute. L'officier s'impatiente et lève les yeux au ciel. On nous croit fous et il vaut mieux nous éloigner avant d'être mis aux fers.

Le temps file. Le navire est encore loin et l'homme-phalène, toujours agrippé au sommet de la tour, est maintenant immobile. C'est à ce moment que j'aperçois un homme qui scrute le ciel, appuyé à son vélo.

Sans réfléchir, je cours vers lui et lui arrache la bicyclette des mains. L'homme hurle des imprécations et se lance à ma poursuite, mais, évidemment, déjà bien en selle, je suis plus rapide que lui. Je fonce à toute allure. Je roule à une vitesse folle à travers les voitures et les piétons. Quelques minutes plus tard, l'accès au quai du *Maid of the Mist* est en vue. Rendu téméraire par l'urgence de la situation, je m'engage dans un escalier que je dévale par bonds extrêmement périlleux. Sans l'ombre d'un remords, j'abandonne la bicyclette aux portes des installations qui mènent au bateau, plusieurs mètres plus bas. Mes cris et le sentiment d'urgence qui transpire de tous les pores de ma peau me valent une petite place dans l'ascenseur qui descend jusqu'au lit de la rivière.

Je bondis hors de la cabine avant même que ses portes soient complètement ouvertes. Des centaines de personnes sont massées sur la passerelle qui mène au bateau, mais je les dépasse toutes. Le son d'une sirène emplit l'air. Le *Maid of the Mist*, chargé de centaines de passagers, s'apprête à partir.

Je me fige brusquement. Soudain, je ne sais plus quoi faire. Si j'essaie de dissuader l'équipage d'entreprendre la croisière, on ne me croira pas. Quant à la police, elle n'a pas voulu s'en mêler. Au fond, je comprends ses réticences.

— Félix, tu dois y aller, dis-je entre mes dents serrées.

J'hésite à monter à bord, mais mon incertitude s'évapore quand je vois tous les gens qui, appuyés au bastingage, attendent d'être emmenés vers les chutes américaines et jusqu'au fer à cheval.

Ceux que je bouscule protestent haut et fort, mais cela ne m'empêche pas de sauter à bord du navire une seconde avant qu'on retire la passerelle.

— Les dés en sont jetés, dis-je en grimpant jusqu'au pont supérieur.

31

L'homme-phalène a rasé la falaise avant de disparaître dans le nuage de brume qui se trouve au pied des chutes. Subjugués, certains des passagers affirment que ce qu'ils appellent le grand oiseau s'est réfugié derrière le rideau de la cascade. Malgré le spectacle éblouissant qui s'offre à elle, une jeune fille qui se tient à côté de moi pianote sur son téléphone intelligent. Je ne sais pas à qui elle s'adresse, mais elle se met à parler tout haut.

— On a vu de grands oiseaux comme celui-là en Alaska en 2002 et au Texas en 2007 ! claironne-t-elle en brandissant son téléphone. C'est écrit, là !

Elle regarde de tous les côtés à la recherche de quelqu'un qui voudrait bien l'écouter, mais nul ne prête attention à ce qu'elle raconte.

Tout autour de moi, les passagers n'ont d'yeux que pour le gigantesque mur d'eau vers lequel nous nous dirigeons.

La poste de pilotage se trouve sur le pont supérieur du navire. Accrochés à la cabine où se réfugie le capitaine, des haut-parleurs crachent de l'information qu'on ne comprend qu'à moitié sur l'histoire de la rivière. J'essaie d'évaluer le nombre de personnes qui se trouvent à bord, mais, puisque tous les passagers – sauf moi ! – portent une cape imperméable bleue qui doit les protéger des eaux de la chute, je n'y arrive pas.

Je m'approche du poste de pilotage et frappe à la porte, mais les deux hommes qui s'y trouvent m'ignorent tout simplement. Déterminé, je cogne encore plus fort. L'un des matelots remarque mon insistance et, la mine contrite, s'approche de moi.

— Quelque chose ne va pas, monsieur ? me demande-t-il en anglais.

Je me retourne et lui présente ma carte de presse.

— Il faut faire demi-tour, c'est urgent.

— Et pourquoi donc ?

Que puis-je lui dire sans qu'il ait envie de me faire passer par-dessus bord ?

— J'ai obtenu des informations anonymes

qui affirment que ce bateau court un grand danger, dis-je avec aplomb.

Le visage du matelot se teinte d'une mine suspicieuse.

— Alors, qu'est-ce que vous faites à bord? m'oppose-t-il avec à-propos.

Nous approchons du fer à cheval. Le bruit des millions de litres d'eau qui se jettent dans le vide devient assourdissant. Depuis qu'il s'est éloigné des chutes américaines, le bateau navigue en plein milieu du détroit. Je m'acharne toujours à convaincre le matelot de la gravité de la situation quand son visage s'assombrit. Il me plante là et bouscule des passagers pour s'approcher de la rambarde. L'air inquiet, il se tourne ensuite vers le poste de pilotage, où le capitaine et son copilote gesticulent étrangement.

Les battements de mon cœur s'accélèrent et, malgré le froid, une fine couche de sueur couvre mon front. Je ne sais toujours pas ce qui se passe, mais quelque chose ne va pas. Les sourcils froncés et les mâchoires serrées, le matelot revient vers moi.

— Dites-moi ce que vous savez, aboie-t-il.

— Que ce navire court à sa perte s'il ne fait pas demi-tour!

L'homme m'attrape par le bras et me force

à gravir les quelques marches qui mènent au poste de pilotage. La porte s'ouvre et, malgré l'exiguïté de la cabine, nous nous y engouffrons tous les deux.

— On a un problème de gouvernail, dit le capitaine. Le courant est en train de nous emporter. Déployez les mesures d'urgence !

Au même moment, le capitaine appuie sur un gros bouton rouge. Les sirènes du navire se mettent à hurler et les deux autres membres de l'équipage disparaissent pour regagner leur poste, me laissant seul avec le maître à bord. Je me saisis d'un gilet de sauvetage accroché à l'intérieur de la cabine et l'enfile aussitôt.

La panique s'installe à bord dès que l'équipage commence à distribuer des ceintures de sécurité aux passagers. Les gens qui bataillaient plus tôt pour avoir une place à la rambarde se serrent maintenant au milieu du pont. Devant nous, les chutes du Niagara n'ont plus rien de spectaculaire. Leur puissance flamboyante se transforme en menace d'une impitoyable majesté à mesure que nous avançons vers elles. Au micro, le capitaine s'adresse à ses passagers, mais, à travers le chahut, personne n'entend ses consignes.

Alors, tout se passe très vite.

Les moteurs cessent de vrombir sous nos pieds. Emporté par les remous du fer à cheval, le navire quitte le centre du détroit pour foncer vers la falaise. Je ne peux retenir le cri qui me vient.

— Faites marche arrière!

Le capitaine actionne une série de commandes qui me sont inconnues et s'accroche à la roue qui, pourtant, ne répond plus à ses efforts. Sous l'effet d'un puissant contre-courant, le bateau change de cap et s'éloigne des berges pour voguer droit en direction de la chute.

Les passagers comprennent que nous fonçons vers les torrents. Des hurlements fusent de partout.

— Faites marche arrière! dis-je à nouveau.

— Les moteurs sont à pleine puissance! gronde le capitaine, les épaules tendues. Les chutes nous aspirent!

Un mur blanc de brume et de vapeur nous entoure. Des milliers de mètres cubes d'eau se déversent sous nos yeux. Si nous ne faisons rien, dans moins d'une minute, le navire sera brisé par la puissance de l'eau et ses passagers, noyés par la furie des flots qui leur tomberont dessus.

L'eau blanche et écumeuse m'hypnotise, mais il y a autre chose qui attire mon regard vers la chute. Ce sont deux points rouges qui traversent le rideau blanc du fer à cheval.

Soudain, je sais ce que je dois faire.

Quoi que fasse le capitaine, il ne sauvera pas le navire.

Je me rue vers l'arrière du *Maid of the Mist* et, sous le regard consterné des passagers terrifiés, je me mets à crier.

— Sautez! Sautez ou vous mourrez!

Dans l'espoir qu'ils m'imitent tous, j'enjambe la rambarde et me jette dans le vide.

ÉPILOGUE

Mon embarquement n'avait pas été prévu par les hommes en noir. Des trois cent soixante et quatre passagers du *Maid of the Mist*, deux cent soixante et onze ont pu être repêchés vivants. Pour la majorité, ce sont ceux qui ont osé sauter à ma suite dans les eaux tumultueuses de la rivière Niagara. Malgré tout, près d'une centaine de personnes ont perdu la vie dans cette épouvantable catastrophe.

Lorsqu'ils ont appris que je faisais partie des rescapés, Julien et Violette ont tout de suite pris la route pour s'amener à Niagara Falls. Jonathan London m'a aussi rendu visite avant que j'obtienne mon congé de l'hôpital où j'ai été admis.

— Rassurez-vous, je ne suis pas blessé, dis-je en les voyant apparaître tous les trois dans l'embrasure. Seulement quelques engelures !

London s'approche du lit dans lequel je suis étendu et dépose tout près de moi un bouquet de fleurs blanches.

— Des gens sont morts, mais, grâce à vous, deux cent soixante et onze personnes ont eu la vie sauve, dit-il en ne sachant trop s'il a le droit de sourire en de telles circonstances.

Mon acte héroïque me vaut tout de même quelques ennuis avec les autorités, qui se demandent bien comment j'ai pu prévoir ce qui allait se passer. Je dois une fière chandelle à l'inspecteur Constantin Lorrain qui, informé de mes tracas par mes fidèles amis, est intervenu auprès de la police ontarienne pour qu'on me laisse tranquille.

Après ma sortie de l'hôpital, Julien et moi nous rendons sur la promenade qui borde les chutes. Pendant ce temps, Violette et Jonathan London vont boire un café ensemble.

— Et maintenant, dis-je au moment où nous nous installons pour contempler la cascade, si tu me racontais!

— Quoi donc?

— Ta rencontre du troisième type.

Mal à l'aise, il baisse la tête et pince l'arête de son nez comme si cela l'aidait à mieux se souvenir. Je l'écoute sans mot dire quand il me raconte son histoire. Des lumières nocturnes, des silhouettes obscures et d'étranges aéronefs font partie de son récit.

— J'avais cinq ans quand ils sont venus me visiter. J'ai eu très peur. Encore aujourd'hui, j'en fais des cauchemars.

Quand il se détourne de moi, je comprends que ces souvenirs le remuent profondément et j'essaie de me faire rassurant.

— Ils sont partis, maintenant, dis-je d'une voix calme.

— Tu en es sûr?

— C'est ce qu'ils ont dit. Je suis presque certain de connaître l'endroit où ils reviendront, bien que je ne sache pas quand ça se produira.

La curiosité naturelle de Julien l'oblige à risquer un regard vers moi. Je reprends mot pour mot les paroles d'Olivier.

— Le moment venu, ils réapparaîtront de l'autre côté du monde, au-dessus des grandes eaux, dis-je dans un souffle. J'ai fait quelques recherches. Je crois qu'il s'agit des chutes d'Iguazú, en Argentine.

— J'espère qu'ils mettront beaucoup de temps à revenir, dit Julien.

— Sans doute. Lanulos, ça me semble très loin.

***

De retour à Québec, j'apprends que l'État de New York vient d'annoncer que l'eau ne sera pas détournée vers la centrale hydroélectrique. Rassurées, les associations écologistes, la population locale et les entreprises touristiques saluent unanimement la décision.

Je ne sais pas si l'homme-phalène se

manifestera à nouveau dans les prochains jours, mais les récents événements m'ont donné l'idée de proposer au rédacteur en chef une série de reportages ayant l'eau pour sujet principal. Il n'est pas très chaud à l'idée, mais, comme mes récents articles font beaucoup jaser, il peut difficilement refuser.

Une belle neige tombe doucement sur la ville quand je passe par l'hôpital pour rendre visite à Olivier. C'est avec une grosse boîte de biscuits sous le bras que j'entre dans sa chambre. Sa mère, toujours à son chevet, s'éclipse pour nous laisser discuter tranquillement.

— Le médecin prétend que c'est une trop grande exposition aux rayons ultraviolets qui a provoqué l'apparition de ce mélanome, m'explique Olivier en pointant la tache sur sa joue.

Je me souviens des propos du crypto-zoologue : selon son humeur, le regard de l'homme-phalène passe de l'infrarouge à l'ultraviolet. Je répète à Olivier ce que je sais à ce sujet et cela le fait rire.

— Nul n'a été en contact avec l'homme-phalène d'aussi près que vous l'avez été.

— Vous croyez vraiment que je vais parler de ça à mon médecin ? demande-t-il, mi-figue, mi-raisin.

— L'important, c'est que vous guérissiez.

Ça vous apprendra à essayer d'apprivoiser les créatures mythiques !

Nous éclatons de rire et cela me fait un bien fou.

— L'inspecteur Lorrain est venu me voir ce matin, dit Olivier après avoir repris son sérieux.

— Ah bon ?

— Il voulait savoir si je connaissais une femme que les policiers ont interpelée alors qu'elle prétendait être en contact avec les extraterrestres.

Il ne peut s'agir que de la blonde dont Julien et moi avons croisé la route au centre-ville de Québec, quelques jours plus tôt.

— Et pourquoi ça ?

— Parce qu'elle est portée disparue depuis deux jours. Ses voisins prétendent qu'ils ne l'ont jamais revue après qu'une lumière aveuglante se soit manifestée en pleine nuit.

***

L'eau.

Sans elle, la vie n'existe pas.

Ces réflexions me hantent tandis que je caresse machinalement les oreilles de Troodie. Je suis étendu sur le canapé, ma chatte a grimpé sur ma poitrine et je savoure pleinement ces quelques instants de tranquillité. La musique de John Mayer emplit l'air, les lumières sont tamisées et, pour la première fois depuis plusieurs jours, j'ai le ventre plein.

Je ferme les yeux et l'image d'un océan infini s'impose à moi. Sa surface miroitante, ses vaguelettes paresseuses et sa couleur indéfinissable m'hypnotisent aussi sûrement que le chant des sirènes charme les marins.

Derrière mes paupières, il y a de l'eau partout. Épuisé, je dépose les armes dans les profondeurs insondables de ce mystérieux océan qui veut bercer mon sommeil. Comme si la mer avait un secret à me confier, je rêve d'eau.

À PROPOS DU
GEORGIA GUIDESTONES

Le Georgia Guidestones est un monument de granite érigé le 22 mars 1980 dans le comté d'Elbert, en Géorgie. C'est un individu ayant choisi le pseudonyme de R. C. Christian et dont nul n'a jamais retrouvé la trace qui en a passé la singulière commande à la Elberton Granite Finishing Company. Le monument, composé de six pièces distinctes, fait près de six mètres de hauteur et pèse exactement 107 840 kilos.

D'après ce qui est inscrit sur une des tablettes, une capsule temporelle aurait été enterrée sous le monument, mais son existence n'a jamais pu être prouvée. Dix commandements ont été gravés dans la pierre en huit langues différentes, soit le russe, l'anglais, l'hindi, l'hébreu, l'arabe, le mandarin, le castillan et le swahili.

1. *Maintenez l'humanité en dessous de 500 000 000 individus en perpétuel équilibre avec la nature.*
2. *Guidez la reproduction intelligemment en améliorant la forme physique et la diversité.*

3. Unissez l'humanité avec une nouvelle langue mondiale.
4. Traitez de la passion, de la foi, de la tradition et de toutes les autres choses avec modération.
5. Protégez les personnes et les nations avec des lois et des tribunaux équitables.
6. Laissez toutes les nations gérer leurs problèmes internes, et réglez les problèmes extranationaux devant un tribunal mondial.
7. Évitez les lois et les fonctionnaires inutiles.
8. Équilibrez les droits personnels et les devoirs sociaux.
9. Faites primer la vérité, la beauté et l'amour en recherchant l'harmonie avec l'infini.
10. Ne soyez pas un cancer sur la Terre. Laissez de la place à la nature. Laissez de la place à la nature.

Outre les fameux commandements qu'on peut y lire, les Guidestones sont célèbres pour leurs qualités astronomiques. Les côtés de la pierre posée au sommet sont alignés avec les points cardinaux et les quatre pierres principales, celles sur lesquelles sont inscrits les commandements, sont orientées avec les nœuds du mois lunaire draconitique. Par un trou pratiqué dans la pièce centrale, on peut observer l'Étoile du Nord, et ce, peu importe l'heure du jour. D'autres fentes taillées dans la pierre indiquent avec précision les solstices et équinoxes, tandis qu'une ouverture au sommet de la construction permet, à midi de chaque jour, de connaître la date exacte.

Si certains voient dans les Guidestones une manifestation de l'antéchrist, d'autres considèrent ses commandements comme un guide pour l'humanité vers un âge de raison. Quoi qu'il en soit, elles sont et demeurent un véritable mystère.

À PROPOS DES
PHÉNOMÈNES LUMINEUX

Montréal, le 7 novembre 1990

La soirée était fraîche et plutôt nuageuse. Vers 19 h 15, une baigneuse qui profitait de la piscine chauffée sur le toit du Hilton Bonaventure a remarqué d'étranges lumières jaunes au-dessus de l'hôtel. Elle en a aussitôt informé la direction de l'hôtel qui elle, à son tour, a prévenu les autorités.

Plusieurs clients de l'hôtel sont alors sortis sur la terrasse pour observer l'étrange phénomène. À travers les nuages, on pouvait observer un objet à l'aspect métallique, entouré de faisceaux lumineux, qui demeurait stationnaire au-dessus de l'hôtel et de l'immeuble voisin. Les policiers dépêchés sur place ont fait les vérifications d'usage auprès de la Défense nationale et de la GRC, tmais nul n'a pu les renseigner sur l'origine de l'apparition. La tour de contrôle de l'aéroport de Dorval a confirmé ne rien percevoir sur ses radars.

Ce soir-là, jusqu'à 75 personnes ont vu l'objet volant. D'après les photographies prises de l'objet, on a évalué son diamètre à plus de 500 mètres. Vers 22 h 30, l'ovni s'est déplacé vers l'est avant de disparaître complètement du ciel montréalais.

Étrangement, les autorités ont rapidement classé l'affaire. Quelques jours après l'apparition, le NORAD aurait exigé que tous les rapports relatifs à l'événement lui soient remis. Ils sont depuis classés « confidentiels ».

**

Point Pleasant, 1966 - 1967

Les habitants de Point Pleasant, en Virginie-Occidentale, ont rapporté de nombreuses observations de phénomènes lumineux. Ceux-ci passaient des simples lumières nocturnes aux apparitions d'aéronefs métalliques émettant de fortes lumières. Il faut dire qu'en ces années-là, aux États-Unis, la curiosité du public en rapport avec les ovnis était grandissante.

Woodrow Derenberger, un résident de Point Pleasant, aurait fait la rencontre d'Indrid Cold le 2 novembre 1966. L'aéronef à bord duquel voyageait Cold aurait barré la route à la voiture de l'homme, le forçant à s'immobiliser. Derenberger prétendit avoir vu Cold descendre de son étrange véhicule pour venir à sa rencontre. Il portait des vêtements noirs, il avait le teint basané et ses cheveux gominés étaient peignés vers l'arrière. Il affirma être venu d'une planète nommée Lanulos et demanda à Derenberger de signaler leur rencontre à la police. Fait plus étrange encore, d'autres témoins attestèrent avoir aperçu l'homme et Indrid Cold alors qu'ils discutaient en bordure de la route, non loin d'un étrange objet volant.

Woodrow Derenberger prétendit ensuite être suivi par des hommes en noir qui se déplaçaient à bord de sombres Cadillac. Il affirma aussi qu'Indrid Cold lui rendait souvent visite, en plus de communiquer avec lui par télépathie. Comme plusieurs autres habitants de la région en ces années-là, il rapporta d'importantes interférences électroniques qui survenaient quand des lumières nocturnes apparaissaient dans le ciel de la localité.

Plus tard, d'autres témoins rapportèrent des rencontres similaires, mais avec des visiteurs nommés Karl Ardo ou Demo Hassan. Pour certains, ces individus étaient des extraterrestres, alors que pour d'autres il ne pouvait s'agir que d'agents secrets du gouvernement américain.

***

Bien que le cryptozoologue Jonathan London soit un personnage fictif, ce qu'il affirme à propos de l'homme-phalène peut-être vérifié.

En 1967, Mary Hyre était journaliste à Point Pleasant. C'est elle qui a été la première a recenser tous les témoignages relatifs aux apparitions de l'homme-phalène. La créature s'est manifestée à de nombreuses personnes qui passaient par la zone désaffectée où se trouvaient, pendant la guerre, les usines de TNT du gouvernement des États-Unis. D'après la journaliste, leurs témoignages sont dignes de confiance. Même après quarante ans, certaines de ces personnes, toujours vivantes aujourd'hui, continuent de jurer qu'elles ont bel et bien vu l'homme-phalène et ses terrifiants yeux rouges.

TABLE DES MATIÈRES